SE LOGER AUTREMENT
AU QUÉBEC

CAP-Habitat communautaire de l'ARUC en économie sociale

Sous la direction de Marie J. Bouchard
et de Marcellin Hudon

SE LOGER AUTREMENT
AU QUÉBEC

Le mouvement de l'habitat communautaire,
un acteur du développement social et économique

ÉDITIONS
SAINT-MARTIN

Cet ouvrage a été réalisé en partie grâce au concours de l'Alliance de recherche universités-communautés en économie sociale (ARUC-ÉS), elle-même subventionnée par le Conseil de recherche en sciences humaines (CRSH) du Canada, de la Chaire de recherche du Canada en économie sociale (Programme des chaires de recherche du Canada), et des contributions financières de la Société d'habitation du Québec (SHQ), du Fonds québécois d'habitation communautaire (FQHC) et du Fonds Régis-Laurin de l'Association des groupes de ressources techniques du Québec (AGRTQ).

Catalogage avant publication de Bibliothèque et Archives nationales du Québec et Bibliothèque et Archives Canada

Vedette principale au titre :

Se loger autrement au Québec : le mouvement de l'habitat communautaire, un acteur du développement social et économique

Comprend des réf. bibliogr.

ISBN 978-2-89035-455-5

1. Logement coopératif - Québec (Province). 2. Développement communautaire - Québec (Province). 3. Économie sociale - Québec (Province). I. Bouchard, Marie J. II. Hudon, Marcellin.

HD7287.72.C32Q8 2008   334'.109714   C2008-941936-7

 Les Éditions Saint-Martin sont reconnaissantes de l'aide financière qu'elles reçoivent du gouvernement du Canada, qui, par l'entremise de son Programme d'aide au développement de l'industrie de l'édition, soutient l'ensemble de ses activités d'édition.

Québec 🔲🔲 Les Éditions Saint-Martin bénéficient de l'aide financière de la SODEC pour l'ensemble de leur programme de publication et de promotion.

Québec 🔲🔲 Les éditions Saint-Martin inc. sont également reconnaissantes de l'aide qu'elles reçoivent du Gouvernement du Québec dans le cadre du Programme de crédit d'impôt pour l'édition des livres – Gestion SODEC.

Conception graphique et mise en page : Folio infographie
Correction : Julie Lalancette
Maquette de la couverture : Vivianne Moreau Ateliers Prêt-Presse
Illustration : ©iStockphoto

Dépôt légal : 3e trimestre 2008
Imprimé au Québec (Canada)

© 2008 Éditions Saint-Martin inc.
7333, place des Roseraies, bureau 501
Anjou (Québec) H1M 2X6
Tél : 514-529-0920 • Télec : 514-352-1764
www.editions-stmartin.com

Filiale du réseau Coopsco

Introduction

Marie J. Bouchard

L E DÉBUT DES ANNÉES 1970 marque l'émergence du mouvement de l'habitat communautaire. Celui-ci est né de la
recherche d'une approche qui mise sur la prise en main de leur
milieu de vie par les résidants. On veut répondre aux besoins de
logements des ménages trop pauvres pour accéder à la propriété
et auxquels l'offre de logements publics s'avère insuffisante ou
insatisfaisante. La solution trouvée tient son originalité par le
choix de la propriété collective des ensembles d'habitation et par
le réseau d'accompagnement qui en soutient le développement.
Des coopératives et des organismes sans but lucratif (OSBL) possèdent un parc de logements locatifs qui demeure durablement
sous le contrôle des citoyens et des occupants. Cela permet de
conserver à long terme les fruits des investissements faits par les
générations successives de locataires. Diverses ressources en assurent l'accessibilité : subventions, outils de financement adaptés,
contributions marchandes et non marchandes des membres. Un
ensemble d'acteurs (publics, privés et issus de la société civile)
agissent en réseau pour en assumer le développement et la consolidation : groupes de ressources techniques, regroupements, fédérations et fonds de développement.

Le logement communautaire constitue une formule originale
qui propose l'accessibilité à un habitat de qualité et la sécurité
d'occupation des résidants. Formant l'un des premiers secteurs
d'activité de ce qu'on appelle au Québec la « nouvelle économie

sociale », le logement communautaire vise non seulement la satis-faction des besoins non comblés, mais génère également un parc de logements dont la gouvernance est confiée à des associations de la société civile. Outre la fourniture d'un service à faible coût, ces organisations présentent un potentiel d'effets structurants aussi bien pour les individus et les ménages que pour les commu-nautés dans lesquelles elles s'insèrent. Face aux failles du marché et aux insuffisances de l'offre publique, le mouvement du logement communautaire québécois relève d'une nouvelle modalité de régulation de l'offre et de la demande en mobilisant la forme associative.

Une nouvelle forme de régulation du logement apparaît, intro-duisant une conception de l'habitat non seulement comme bien marchand pour répondre à la demande solvable, ou comme bien public qui repose sur les principes d'accessibilité et d'universalité, mais aussi comme espace de création et de maintien du lien social. Reconnaissant en partie le rôle du marché dans l'ajustement du prix du loyer ainsi que la nécessité de subventions pour en réduire les charges, en particulier dans les premières années, le logement communautaire est également sous la responsabilité collective des résidants et des citoyens, tant en matière de gestion immobi-lière qu'en ce qui concerne le milieu de vie. L'établissement d'un partenariat entre des acteurs de la société civile et l'État favorise une gouvernance décentralisée, où des organismes communau-taires participent à répondre à l'offre et à la demande conjointe-ment avec les usagers, ajustant les besoins selon les ressources locales. Nous pouvons considérer l'innovation que présente le logement communautaire comme une forme de régulation asso-ciative, en comparant certaines de ses caractéristiques à celles d'une régulation marchande et d'une régulation étatique, vues comme idéaux-types, c'est-à-dire en tant que modèles et non pas comme réalités concrètes (voir le Tableau 1).

Cet ouvrage aborde le sujet de l'habitat communautaire sous l'angle de l'innovation sociale. La formule du logement commu-nautaire au Québec apparaît innovante à différents égards. Elle constitue une nouvelle manière de produire un espace habité, d'en organiser l'usage et la prise en charge, et d'en collectiviser la

Tableau 1

**Le logement communautaire, une innovation associative
entre régulation marchande et étatique**

	Régulation du logement		
	Marchande	**Associative**	**Étatique**
Principe	Ajustement par le prix	Réciprocité/prix/ redistribution	Redistribution
Propriété	Individuelle	Collective	Publique
Évaluation	Rentabilité	Milieu de vie	Accessibilité
Régulation	Autorégulée : offre et demande atomisées	Définition conjointe de l'offre et de la demande par les producteurs et les usagers	Planification centralisée / choix public
Cible	Demande solvable	Mixité socio économique, services aux usagers	Universelle ou demande insolvable
Gouvernance	Intérêts divergents : propriétaire / locataire	Démocratie sociale et délibérative / partenariat	Autorité de l'agence publique / tutelle

propriété. Le mouvement innove également en formant un réseau d'acteurs publics et privés et en plaçant les groupes de citoyens au cœur de la démarche. Le chapitre 1 retrace l'histoire de l'habitat communautaire au Québec et dévoile l'héritage laissé par les générations antérieures (coopératives de construction, premières coopératives et premiers organismes sans but lucratif d'habitation locative) influençant les valeurs et les caractéristiques de la formule actuelle. On voit aussi l'interaction entre des acteurs de la société civile, mobilisés autour de valeurs de démocratie et de prise en charge citoyenne des questions du logement, et des acteurs publics, soucieux de soutenir l'offre en logements accessibles aux groupes sociaux les plus dans le besoin. Le chapitre 2 brosse un portrait du secteur. On y présente d'abord les organismes de soutien au financement des projets. Bien que le mouvement ne soit pas essentiellement le fruit de l'intervention de tiers ou de politiques publiques – ce que le chapitre précédent aura bien démontré –, les différents programmes de subventions de même que certaines organisations de soutien au démarrage ont un impact important sur le nombre et le type de projets créés.

Les portraits des organismes sans but lucratif d'habitation puis des coopératives sont ensuite dessinés, mettant l'accent sur les populations ciblées et le parc de logements, sur les caractéristiques des occupants et sur les structures organisationnelles.

Les trois chapitres suivants traitent de différents aspects des innovations apportées à l'heure actuelle par le mouvement de l'habitat communautaire, en font le bilan et tentent de déterminer la place qu'elles occuperont dans l'avenir. Le chapitre 3 traite des mécanismes de financement employés pour générer et maintenir un parc de logements communautaires, et il présente des modes alternatifs de financement qui peuvent suppléer aux aides publiques. Ces façons de procéder sont encore peu employées mais témoignent d'initiatives qui pourraient se développer dans le prolongement des actions du mouvement. Le chapitre 4 traite de l'apport social et économique du logement communautaire en tentant de démontrer, en dépit du peu d'études qui ont été faites sur le sujet, les impacts économiques et humains de la présence de ce secteur d'économie sociale. Le chapitre 5 s'intéresse à la manière dont est abordée la question du logement pour les personnes vulnérables.

Cet ouvrage veut aussi inciter les gens à réfléchir sur l'état actuel et futur du mouvement de l'habitat communautaire. Puisque l'innovation sociale n'est pas irréversible, les acquis de plus de trente années de développement fructueux pourraient être fragilisés par des conjonctures politiques ou des phénomènes organisationnels qui, s'ils ne sont pas perçus et analysés à temps, pourraient porter atteinte au potentiel du mouvement. Sans avoir de don pour prédire l'avenir, les auteurs ont identifié quelques enjeux qu'ils jugent important de soumettre à la réflexion. En conclusion du livre, nous résumons ces pistes de réflexion.

Cet ouvrage a été conçu et rédigé sous l'égide du Chantier d'activités partenariales – Habitat communautaire (CAP-Habitat) de l'Alliance de recherche universités-communautés en économie sociale (ARUC-ÉS). Le CAP-Habitat est une instance de recherche partenariale qui regroupe différents réseaux impliqués dans le développement de l'habitation communautaire au Québec et des chercheurs universitaires spécialisés dans ce domaine. Les auteurs-chercheurs proviennent de l'Université du Québec à Montréal (UQAM). Les réseaux auxquels se rattachent les auteurs-acteurs sont l'Association des groupes de ressources techniques du Québec (AGRTQ), la Confédération québécoise des coopératives d'habitation (CQCH), le Fonds québécois d'habitation communautaire (FQHC), et le Réseau québécois des OSBL d'habitation (RQOH).

La coordination des travaux menant à la réalisation de cet ouvrage a été assurée par Vincent van Schendel, agent de recherche et de planification de l'UQAM. Des collaborateurs ont fait une lecture attentive et fourni des commentaires sur les différents chapitres. Ils proviennent du Chantier de l'économie sociale (Charles Guindon), de la Confédération québécoise des coopératives d'habitation (Éric Tremblay, Denis Plante et Jocelyne Rouleau), de l'Institut national de la recherche scientifique, Urbanisation, Culture et Société (Francine Dansereau), de la Société canadienne d'hypothèques et de logement (André Poulin) et de l'Université du Québec en Outaouais (Jacques L. Boucher). Nous les remercions tous très sincèrement de leur contribution.

PARTIE 1

Le secteur de l'habitation communautaire

CHAPITRE 1

L'histoire d'une innovation sociale

Marie J. Bouchard et Marcellin Hudon[1]

Introduction

Le logement communautaire est essentiellement composé de coopératives et d'organismes sans but lucratif (OSBL) d'habitation locative. Il s'agit d'une innovation qui apparaît au Québec au tournant des années 1970 dans un contexte de transformation du monde urbain, d'émergence de nouveaux besoins en matière de logement et de nouvelles politiques gouvernementales d'habitation. L'innovation est portée par différents acteurs sociaux qui développent des formules d'habitation communautaire en réponse à des attentes en relative convergence.

La formule du logement locatif communautaire au Québec tient son originalité d'un certain nombre de facteurs qui témoignent de son inscription dans la société québécoise. Ses traits particuliers proviennent à la fois des apprentissages des générations précédentes de promoteurs de aux logements sociaux et coopératifs et des aspirations nouvelles émergeant dans les mouvements sociaux au cours des années 1970.

---

1. Ce texte a été rédigé avec la collaboration de Catherine Goulet-Cloutier et de Jean-Philippe Beauregard, étudiants à l'Université du Québec à Montréal, assistants de recherche à la Chaire de recherche du Canada en économie sociale et à l'Alliance de recherche universités-communautés en économie sociale (ARUC-ÉS).

Un survol de l'histoire du secteur de l'habitation communautaire permettra d'expliquer le contexte et les influences à l'origine de la formule innovante qui fait l'objet du présent ouvrage. Les organismes actuels constituent la troisième « génération » d'économie sociale d'habitation. En retraçant rapidement les expériences antérieures, on peut voir l'influence qu'elles ont eue sur la génération contemporaine. L'histoire que nous allons résumer dans la première partie du chapitre se rapporte principalement aux différentes générations de coopératives d'habitation. En effet, peu de documents permettent de retracer l'histoire des organismes sans but lucratif dans ce secteur[2]. Nous amorcerons toutefois cette partie du chapitre par une section les concernant, rassemblant les renseignements disponibles à ce jour. Suivront des sections portant sur les trois plus importantes générations de coopératives d'habitation et les structures qui les ont portées. Comme nous le verrons, c'est surtout à partir de la création des structures fédératives ou de regroupement que l'« histoire » de l'un ou l'autre de ces mouvements peut être retracée, ces organisations produisant une documentation qui permet de suivre l'évolution du secteur ainsi que celle des discours portés par leurs promoteurs.

La deuxième partie du chapitre évoque avec plus de détails la troisième génération d'organisations de logement communautaire. La génération actuelle d'habitation communautaire est essentiellement constituée d'OSBL et de coopératives d'habitation. Ces dernières sont également gérées à but non lucratif, c'est-à-dire qu'elles ne versent pas de ristournes à leurs membres mais pratiquent une gestion à l'équilibre, les revenus (essentiellement les loyers des occupants) devant couvrir les charges, incluant les dettes et la constitution de réserves dites « de remplacement » (pour l'entretien des bâtiments). Nous racontons l'histoire récente de ce mouvement en quatre périodes qui correspondent à différents programmes d'aide gouvernementale[3]. Les actions du mou-

---

2. Nous sommes conscients de ne pas traiter du logement communautaire autochtone, également peu documenté et qui serait un objet d'étude en soi. Pour des exemples reliés à ce groupe de la population, voir le chapitre 5.
3. Il n'y a toujours pas de « politique » de logement au Québec et au Canada au moment où nous écrivons ces lignes. Différents programmes de soutien public

vement social chevauchent ces périodes, en amont et en aval des actions publiques. Nous présentons d'abord le contexte socioéconomique et les principales dynamiques à l'œuvre, puis les caractéristiques des différentes politiques publiques successives.

1. L'héritage des générations antérieures

1.1 Les organismes sans but lucratif d'habitation

Les traces laissées par les générations antérieures de logement communautaire ont surtout trait au phénomène coopératif, bien que plusieurs OSBL d'habitation aient pu exister en même temps. Le peu de recherches sur le sujet explique en partie cette lacune. L'absence d'organisation fédérative et la diversité des organismes promoteurs expliquent aussi la dispersion des archives qu'il faudrait réunir pour reconstituer cette histoire. Ce phénomène n'est certainement pas exclusif au secteur de l'habitation, les associations et les OSBL pouvant émerger de l'initiative de différents promoteurs, pas nécessairement en lien les uns avec les autres, animés de missions sociales qui peuvent varier d'un acteur à l'autre. Nous rassemblons ici les principaux renseignements disponibles au moment d'écrire ce chapitre.

Les projets d'OSBL d'habitation émergent de manière indépendante les uns des autres, portés par des promoteurs différents qui ne se reconnaissent pas nécessairement comme faisant partie d'un même mouvement. Les plus anciens OSBL existants aujourd'hui remontent au milieu des années 1960. Divers organismes ont été promoteurs de tels ensembles immobiliers dans le prolongement de leur mission sociale respective. Ainsi, plusieurs projets constituent une extension d'un organisme déjà enraciné localement : communauté religieuse, caisse populaire, paroisse, club social, etc. Un programme du gouvernement fédéral datant de 1964 a aidé à créer plusieurs OSBL, cette intervention pouvant être vue comme la première en matière de soutien spécifique à l'économie

---

ont coexisté ou se sont succédé, émis par divers paliers de gouvernement, si bien qu'ils ont formé une sorte de politique «implicite» d'habitation. Voir *Programs in Search of a Policy. Low Income Housing in Canada* (Dennis et Fish, 1972).

sociale en matière de logement. La trame historique du « mouvement » des OSBL d'habitation commence à se dessiner à compter du moment où les organismes se rassemblent et développent des regroupements à différentes échelles territoriales, surtout en milieux urbains (voir les sections 2.3.1 et 2.4.1). Bien qu'il ait les mêmes valeurs d'économie sociale que le réseau des coopératives, le réseau des OSBL d'habitation se distinguera de ce dernier surtout par les populations visées, plus vulnérables au plan social (voir les chapitres 2 et 5), et par la composition des structures de gouvernance des organisations, auxquelles participent souvent des représentants des milieux locaux et des résidants des logements.

1.2 Les coopératives de construction pour accéder à la propriété (1938-1967)

À compter de la fin des années 1930, on voit apparaître au Québec des coopératives de construction d'habitations. Les conditions créées par la crise économique dans les zones urbaines stimulent ce mouvement d'auto-construction de résidences unifamiliales qui répond en partie à la forte demande en logement des ouvriers. La faiblesse des revenus réels et du taux d'épargne des ouvriers ne leur permettant pas d'accéder à la propriété, plusieurs ménages doivent partager une même demeure. De nombreuses familles aspirent à l'accession à une propriété individuelle ; elles se regroupent alors en coopératives pour bâtir collectivement les maisons qu'elles occuperont individuellement. Ce n'est toutefois qu'à la fin des années 1940, au moment où le niveau d'épargne des ménages québécois augmente et la pénurie de matériaux qui suit la guerre se résorbe, que la création de ces coopératives augmente annuellement de façon significative. De 1937 à 1965, 198 coopératives de ce type ont vu le jour (Quintin et Denis, 1980 : 86)[4] et pas moins de 9 500 habitations ont ainsi été construites de 1948 à 1968 (Bernard *et al.*, 1980 : 184).

Mais le mouvement coopératif n'aurait pas pris de réel envol n'eût été de l'intérêt que lui ont porté divers groupes. Des prêtres,

---

4. Mercier (2006 : 8) évalue leur nombre de manière plus approximative, « entre 176 et 198 ».

des nationalistes québécois, des militants catholiques et des coopératives financières sont effectivement animés par un même projet social inspiré par la pensée chrétienne du temps : parer aux effets pervers du capitalisme et à la menace du communisme. Le projet de corporatisme social québécois vise à implanter une structure corporative, parallèle à l'État, qui encadrerait la gestion des activités économiques et régirait les relations entre les groupes sociaux[5]. Ainsi, en 1948, la Ligue ouvrière catholique, le Conseil supérieur de la coopération[6], la Société des Artisans et les caisses populaires fondent la Fédération des coopératives d'habitation (FCH). Cette organisation a pour but de servir de point de rencontre entre les nouvelles et les anciennes coopératives de construction et de fournir des services d'achats groupés et d'aide comptable.

Malgré leur succès relatif, les coopératives de construction réussissent de moins en moins à atteindre les ménages à faible revenu en raison de l'augmentation rapide des coûts de l'accession à une maison unifamiliale au cours des années 1950. La revente au prix du marché des propriétés individuelles n'a rendu cette formule avantageuse que pour la première génération de résidants. De la même manière, les ménages déjà logés voient peu d'intérêt à la création d'une fédération car la plupart des coopératives étaient dissoutes après la construction des maisons. Or, n'ayant pas de sociétariat permanent, « [...] le rôle de la Fédération s'est surtout limité à donner de l'information et à uniformiser toutes les demandes plutôt qu'à assister les coopératives » (Rutigliano, 1971 : 46). Puis, le ralentissement des activités de construction mène en 1967 à la création au Québec d'une nouvelle fédération qui entraînera une seconde génération de coopératives, cette fois-ci reliées d'entrée de jeu à la fédération. Avant d'aborder cet

---

5. Ces valeurs sont véhiculées à partir de 1933 et durant une vingtaine d'années par l'École sociale populaire de Montréal. Celle-ci trouve son inspiration dans le courant du catholicisme social qui se réclame de Léon XIII et de son encyclique *Rerum Novarum* publié en 1891. Voir Martel et Lévesque (1986-87).
6. Lequel deviendra plus tard le Conseil de la coopération du Québec (CCQ) et, depuis 2006, le Conseil québécois de la coopération et de la mutualité (CQCM).

épisode, voyons ce qui se passe du côté de la politique canadienne (fédérale) en habitation.

1.3 Les premières interventions du gouvernement fédéral : le logement public et les organismes sans but lucratif

Le gouvernement fédéral s'est imposé comme un acteur incontournable dans le secteur en adoptant la première *Loi sur l'habitation* en 1935. Après la Seconde Guerre mondiale, sa politique, dont la mise en œuvre a été confiée à la Société centrale d'hypothèques et de logement (SCHL[7]) lors de sa création en 1946, repose essentiellement sur la propriété individuelle de l'habitat et sur les forces du marché pour régulariser la distribution du logement. Le logement social (public ou privé sans but lucratif) est perçu comme un moyen de pallier les failles du marché[8]. Dès lors, la SCHL interviendra régulièrement dans le secteur de l'habitation.

D'abord, les amendements apportés à la *Loi nationale sur l'habitation* (LNH) en 1949 prévoient que le gouvernement fédéral et tout autre gouvernement provincial peuvent partager les coûts de réalisation des habitations à loyer modique (HLM) à raison d'un ratio de 75 % - 25 %. Ce programme ne connaît cependant pas beaucoup de succès car seulement 11 624 unités de logements sont créées de 1949 à 1963. Ensuite, un nouvel amendement à la LNH en 1964 marque un tournant dans la politique fédérale et entraîne une accélération du développement du parc d'HLM. Le gouvernement fédéral s'engage à consentir des prêts, d'une durée de 50 ans et à un taux inférieur à celui du marché, qui représentent 95 % du coût de réalisation des projets des HLM entrepris par les provinces. De concert avec la création de plusieurs sociétés d'habitation provinciales au milieu des années 1960, ces programmes permettent de réaliser dans l'ensemble du Canada

---

7. Qui deviendra plus tard la Société canadienne d'hypothèques et de logement.

8. Les failles du marché apparaissent lorsqu'il y a déséquilibre entre l'offre et la demande. La faiblesse du pouvoir d'achat des ménages et la spéculation foncière ont un effet important, de façon cyclique, sur la capacité du marché à répondre à la demande pour des logements abordables.

environ 165 000 logements de type HLM de 1965 à 1981, ce qui représente environ 5 % de tous les logements réalisés durant ces mêmes années (Divay, Séguin et Sénécal, 2005).

La mise en œuvre en 1964 du programme fédéral institué en vertu de l'article 15.1 de la LNH a notamment créée un contexte favorable à l'émergence des organismes sans but lucratif. Destiné exclusivement aux OSBL, ce programme offre des prêts à taux privilégié pour des périodes variant de 35 à 50 ans. Malgré des débuts timides – seulement 24 logements de ce type sont produits de 1965 à 1969 (RQOH, 2007 : 5) –, les projets d'OSBL se développent rapidement à partir de 1968 (AGRTQ, 2002).

1.4 L'expérience Coop-Habitat (1968-1970)

Vers la fin des années 1960, l'explosion démographique, le vieillissement du parc immobilier ainsi que l'amélioration générale des conditions de logement pour les classes moyennes rendent le modèle des coopératives de construction inadéquat. De plus, la pénurie croissante de logements rend l'accession à la propriété par les ménages à revenu modeste de plus en plus difficile. Les dirigeants de la Fédération des coopératives d'habitation (celle née de la génération des coopératives de construction) demandent alors à « l'état-major coopératif », le Conseil de la coopération du Québec (CCQ), d'instituer une commission d'étude sur l'habitation coopérative. Déposé en 1968, le rapport de la commission prévoit une forte demande de logements pour la décennie 1966-1976, notamment des immeubles multifamiliaux en régions urbaines. De plus, la commission recommande la construction d'immeubles à logements multiples et à prix modique dans les grands centres urbains, la formation de coopératives d'habitation à propriété collective et perpétuelle ainsi qu'une centralisation de toutes les activités du mouvement coopératif de l'habitation au Québec. Enfin, à la suite de l'étude de trois expériences européennes de logement coopératif (France, Norvège et Suède), la commission recommande que la structure de la Fédération soit inspirée du modèle suédois.

Par ailleurs, le gouvernement du Québec tente de mettre de l'avant une stratégie autonomiste afin de se donner les moyens pour intervenir dans le secteur de l'habitation. Dans cette stratégie, le mouvement coopératif est vu comme un outil de développement fondamental (Prévost, 1983). C'est donc dans ce contexte[9] qu'est créée en 1967 la Société d'habitation du Québec (SHQ, 1992 : 17). En accord avec les recommandations du rapport, les volontés du gouvernement (par l'entremise de la SHQ), des coopératives financières et du mouvement coopératif d'habitation, la Fédération Coop-Habitat du Québec (FCHQ) est fondée en mars 1968 lors d'une assemblée générale de l'ancienne FCH. On prévoit une intervention massive dans le secteur de l'habitation à partir d'une collaboration étroite de trois partenaires : les coopératives de construction se proposent comme maîtres d'œuvre, la SHQ offre son concours au plan des prêts hypothécaires et les institutions financières du CCQ favorisent le financement temporaire de l'opération jusqu'à ce que les coopératives d'habitation puissent se financer à même leurs travaux de construction (Charbonneau et Deslauriers, 1985 : 157-160).

La structure de la FCHQ se décompose en trois niveaux hiérarchisés : la Fédération provinciale, dont l'assemblée générale est composée des représentants des coopératives régionales, elles-mêmes pivot du développement des coopératives locales (dites « auxiliaires »), qui sont chargées d'assurer la vie associative et communautaire des immeubles. Dans cette structure organisationnelle, le pouvoir est fortement concentré au sein de la Fédération qui centralise les décisions d'investissement et fait la promotion du volet « entreprise », alors que le volet « association » est décentralisé au sein des coopératives locales (Charbonneau et Deslauriers, 1985).

La volonté de ce partenariat de créer un véritable secteur coopératif de logement social s'est toutefois soldée par un échec retentissant. Un an après sa fondation, la FCHQ se retrouve avec d'énormes problèmes financiers, des immeubles peu occupés et des contestations de locataires qui ignorent parfois qu'ils habitent

---

9. Rappelons que le gouvernement fédéral intervient dans le secteur de l'habitation depuis 1964. Or, selon la Constitution du Canada, il s'agit d'une responsabilité des provinces.

une coopérative d'habitation (Fortin, 1980). À la suite de la construction de 1 432 logements (13 ensembles domiciliaires) au coût de 22 millions de dollars financés par la SHQ et de la grève dans l'industrie de la construction, la FCHQ dépose son bilan avec un déficit d'activités de 4 millions de dollars[10]. L'échec du projet Coop-Habitat s'explique de plusieurs façons[11].

D'abord, la SHQ était dans l'impossibilité légale de subventionner les projets et certains vices de construction ont entraîné des coûts trop élevés que la FCHQ n'a pu absorber (AGRTQ, 2002). Le modèle visait la rentabilité immédiate en négligeant les besoins des familles à revenu modeste. De plus, l'objectif poursuivi par la FCHQ n'était pas de travailler avec des gens ayant un problème de logement, mais plutôt de structurer un mouvement coopératif dans l'habitation. Le choix a été fait de centraliser le pouvoir à la Fédération. Par conséquent, les coopératives se sont retrouvées sans base associative solide, sans vision du développement des coopératives d'habitation ni de planification financière à long terme. En effet, contrairement au modèle suédois qu'on avait voulu reproduire, la FCHQ n'a pas intégré l'activité de collecte d'épargne auprès de ses membres[12]. Enfin, Coop-Habitat n'avait tout simplement pas les moyens concrets pour atteindre ses objectifs en termes de logement social.

La FCHQ a connu une existence assez brève (1967-1970), mais a tout de même laissé sa marque dans l'imaginaire coopératif québécois. Pour certains, « elle est le [squelette] dans le placard

---

10. Selon la Direction des coopératives du Québec, trente coopératives ont été créées sous cette fédération. Aujourd'hui, six seulement sont encore en activité (Mercier, 2006). Notons que certains projets ont tout de même réussi à mobiliser un sociétariat actif: « Coop-Habitat de Mortagne a toujours existé par et pour ses membres [...]. Sans faire de bruit, nous avons su démontrer que même le parachutage gouvernemental était un obstacle qui pouvait être surmonté » (Addy, J. et R. Proulx. « Mise au point d'une ex-Coop-Habitat à la suite de la parution du calendrier historique du mouvement des CH du Québec », *Hebdo-Coop*, n° 35, Juin-Juillet 1982, p. 8-9).

11. Voir notamment Y. Hurtubise (1976), C. Rutigliano (1971) et Charbonneau et Deslauriers (1985).

12. D'ailleurs, aucun des modèles suivants n'intégrera la fonction de collecte d'épargne des membres.

du mouvement d'habitation coopérative, la catastrophe à laquelle tous pensent mais sans jamais en parler ni l'analyser ouvertement» (Vienney *et al.* 1985 : 149). Cette expérience témoigne en outre de la difficulté de loger des clientèles à faible revenu sans aucun recours à l'aide gouvernementale et des dangers posés par un modèle de développement descendant dans le domaine coopératif. Enfin, en 1973, le nouveau programme fédéral d'aide aux OSBL et aux coopératives d'habitation permet la mise en place d'un nouveau type de logements communautaires.

1.5 Les coopératives et les OSBL d'habitation locative à possession continue

La troisième – et contemporaine – génération de logements communautaires se définit sur des bases sensiblement différentes des générations précédentes. La période correspond à une importante crise du logement dans le marché locatif au début des années 1970. L'arrivée en force des *baby-boomers*, correspondant à des modifications au sein des structures familiales (réduction de la taille, subdivision), entraîne une forte augmentation de même qu'une modification de la demande en logement (Gouvernement du Québec, 1980 : 90). À compter de 1972, plusieurs comités de citoyens et associations de locataires, accompagnés par des étudiants en architecture et des animateurs sociaux, commencent à intervenir auprès des populations démunies pour susciter la création de coopératives d'habitation locative. Leurs efforts portent sur une mobilisation des populations résidantes. Aux projets de réaménagement de quartier (renommés cyniquement «projets de déménagement de quartier»[13]), les citoyens s'engagent dans un mouvement d'achat et de rénovation de logements locatifs dans les quartiers urbains centraux. L'objectif poursuivi est de placer une coopérative par quadrilatère afin de sauver les immeubles du feu et de l'expropriation. La mobilisation des locataires pour la

---

13. Propos recueillis auprès d'un militant, faisant référence aux conséquences sur les quartiers populaires du Programme de réaménagement de quartier, lequel finance la rénovation des rues, l'installation d'équipement communautaire et met l'accent sur la rénovation (Bouchard, 1994).

constitution d'une coopérative augmente leur solidarité pour contrer les mesures illégales d'expulsion employées par certains propriétaires peu scrupuleux. Les résidants d'immeubles locatifs, une fois regroupés en coopérative, peuvent faire une offre d'achat sur les bâtiments qu'ils occupent et en empêcher la démolition par des promoteurs immobiliers. Un mouvement s'amorce alors pour la défense et la rénovation des logements vétustes des centres-villes. C'est dans ce contexte que naissent les coopératives et les OSBL d'habitation locative à possession continue.

L'échec et le poids du déficit d'exploitation du logement public conduit le gouvernement fédéral à se retirer presque complètement du secteur. Dans cette période, on voit apparaître de nouvelles politiques d'habitation. Les pressions exercées par le mouvement coopératif des provinces canadiennes par l'entremise de la Fondation de l'habitation coopérative du Canada (FHCC[14]) s'additionnent à celles que suscitent différents rapports d'experts[15] qui décrivent l'urgence d'agir en matière d'habitation. Ces rapports recommandent notamment le contrôle des prix de l'habitation, la préservation et l'augmentation du parc existant de logements, la diminution de celui des logements publics et la mise en place d'un processus décisionnel plus proche des usagers et ouvert à leur participation. Le mouvement coopératif canadien fait, de son côté, la promotion d'une formule coopérative d'habitation locative à possession continue et sans but lucratif. En 1973, ces ingrédients additionnés à une conjoncture politique favorable (le Parti libéral du Canada doit partager le pouvoir avec le Parti néo-démocrate du Canada de tradition coopérative et syndicale) mènent l'État à amender la *Loi nationale sur l'habitation* afin d'offrir des programmes accessibles aux coopératives et aux OSBL d'habitation.

---

14. Fondée en 1968, elle deviendra ensuite la Fédération de l'habitation coopérative du Canada.

15. Le rapport du ministre Hellyer (Canada, 1969, *Rapport de la Commission fédérale d'étude sur le logement et l'aménagement urbain*, Ottawa, Imprimeur de la Reine); l'étude du professeur Lithwick (N. H. Lithwick, *Urban Canada: Problems and Prospects*, Ottawa, CMHC, Décembre 1970); le rapport de M. Dennis et S. Fish (*Programs in Search of a Policy. Low Income Housing in Canada*, 1972).

Les autorités gouvernementales opèrent alors un virage vers des mesures caractéristiques des politiques de soutien de la demande. On se tourne vers des agents privés pour assumer la propriété et la gestion d'une partie du parc de logements à finalité sociale. L'attrait de la flexibilité mène le gouvernement à miser sur le secteur coopératif et sans but lucratif ainsi que sur les municipalités pour livrer et gérer les ensembles d'habitation. La mixité socioéconomique est recherchée tant par le mouvement d'habitation communautaire que par le gouvernement pour créer des milieux de vie équilibrés, facilitant l'intégration sociale des résidants. Qui plus est, la diversité des revenus doit permettre d'éviter les « tensions sociales » attribuables à la concentration des ménages à faible revenu et de diminuer la résistance du quartier (le syndrome « pas dans ma cour ») (SCHL, 1990 : 16-17).

Les promoteurs au Québec visent à créer des organisations de petite taille (20 à 30 logements[16]) afin de favoriser leur autonomie de prise en charge (dans le milieu coopératif, on parle alors d'autogestion). Leur caractère « à possession continue » et « à but non lucratif » (les unités de logements ne peuvent être revendues par les occupants sortants) indique la volonté de pérenniser les organisations et, surtout dans le cas des coopératives, de faire correspondre les charges d'occupation aux frais d'exploitation. Les coopératives d'habitation privilégient dès lors la mixité socioéconomique du sociétariat afin de briser les ghettos de la pauvreté. « Il s'agit de créer un "troisième secteur", qui échappe à la fois à la logique du capitalisme immobilier et à la logique ségrégative et au contrôle bureaucratique qui caractérisent le logement public » (Dansereau *et al.*, 1998 : 30).

Du côté des OSBL d'habitation, on mise d'emblée sur le développement des résidences pour personnes âgées, plus de 50 % de ces logements s'adressant aujourd'hui à cette clientèle. La plupart des projets urbains sont des bâtiments de plus de 100 unités de logements (Ducharme et Vaillancourt, 2002 : 14).

Les ambitions du mouvement de l'habitation communautaire se sont progressivement conjuguées à celles des politiques d'ha-

---

16. Les ensembles immobiliers sont beaucoup plus grands dans les autres provinces canadiennes.

bitation. Un compromis se dessine entre la forme associative et les objectifs de l'État qui « s'appuie sur les coopératives pour mener sa politique sociale en leur donnant de plus en plus un rôle d'habitat social et d'accueil des populations laissées pour compte, qui ne peuvent se loger sur le marché privé » (Dansereau *et al.*, 1998 : 40). En contrepartie, l'évolution du cadre institutionnel canadien et québécois est lui-même lié aux pressions exercées par le mouvement communautaire et les promoteurs de l'habitation communautaire. Ces facteurs seront déterminants dans l'évolution du logement communautaire québécois au cours des trente années suivantes, surtout quant à la capacité des acteurs à s'adapter aux défis rencontrés aujourd'hui. Ainsi, il apparaît utile de jeter un regard plus attentif aux interactions entre le mouvement associatif et l'État, car l'évolution des programmes de soutien public influencera progressivement la configuration du secteur.

2. L'époque contemporaine du logement communautaire au Québec

2.1 Les années 1970-1980 : l'envol

2.1.1 Les premiers pas d'un nouveau mouvement coopératif

Le mouvement de l'habitation communautaire commence à s'organiser véritablement vers le milieu des années 1970. Tout d'abord, les groupes de ressources techniques (GRT) se développent à partir de 1976 grâce aux cliniques d'architecture populaire des universités (McGill, Montréal et Québec) ainsi que celles des écoles de service social. Ils sont des promoteurs de l'habitation communautaire deviennent rapidement des interlocuteurs incontournables auprès des pouvoirs publics, en particulier par l'intermédiaire de l'Association des groupes de ressources techniques du Québec (AGRTQ).

C'est une tentative d'intervention des institutions du mouvement coopératif de concert avec le gouvernement provincial qui suscite pour la première fois la volonté des coopératives d'habitation de cette troisième génération de se fédérer. En janvier 1976, un rapport commandé par le gouvernement provincial (Gouvernement du Québec, 1976) propose une politique générale de l'habitation ainsi que des objectifs quant à son application. En juin de la même année, le Conseil de la coopération du Québec (CCQ) organise un colloque sur l'habitation coopérative afin de mettre en application les recommandations de ce rapport. Ce colloque se tiendra toutefois sans consultation préalable des coopératives d'habitation.

Le rapport préconise la création de coopératives qui intégreraient des mécanismes d'apport financier et d'accumulation patrimoniale par les membres (autrement dit, des coopératives « à capitalisation » individuelle). Il recommande aussi la mise en place d'une société-mère chargée de contrôler le développement du mouvement. Les quelques membres des coopératives d'habitation présentes au colloque de juin 1976 s'objectent vivement à ces propositions. Ils profitent aussi de l'occasion pour formuler des orientations précises quant au développement coopératif en habitation, et ce, en s'adressant aux différents paliers de gouvernement. Le projet de Fédération des associations coopératives du Québec prend forme.

Un *Manifeste des coopératives d'habitation* est rédigé lors d'une assemblée provinciale des coopératives d'habitation à Sherbrooke, en mars 1977. Dans ce manifeste, on fonde l'authenticité du mouvement coopératif d'habitation sur « le droit de tous au logement sans recherche de profit » et sur « la prise en charge par chaque individu de son droit de se loger convenablement ». L'initiative, la participation et le contrôle des membres sur les projets particuliers de même que sur le mouvement sont les conditions sur lesquelles doit reposer le développement coopératif. La coopérative « doit constituer et demeurer une propriété collective qui ne cherche pas l'accumulation individuelle de capital, mais plutôt l'accumulation d'un capital collectif ». Le projet coopératif promu en est un d'éducation et de formation des membres afin d'« élargir leurs horizons aux autres dimensions et problèmes de leur quartier et de la société » (*Hebdo-Coop*, 1981 : 2). Cette assemblée mandate aussi un comité provisoire afin de préparer un projet de reconnaissance juridique de la Fédération des associations coopératives du Québec, ainsi qu'un projet de règlement de régie interne.

Ce premier projet de regroupement fédératif ne verra cependant pas le jour. La déclaration d'association de la Fédération sera déboutée à trois reprises par le ministère des Corporations, des Coopératives et des Institutions financières[17], de qui relève l'approbation des statuts constitutifs des coopératives et de leurs regroupements. Le ministère est « réticent à ce qu'un énoncé de principes se retrouve à l'intérieur des fins de la Fédération » (*Hebdo-Coop*, 1979 : 4). Le second refus, en 1979, fait suite à un avis négatif du CCQ, lequel « aimerait que les fins de la future fédération soient plus spécifiquement économiques et souligne qu'il serait peut-être plus naturel de commencer à s'organiser dans les régions avant de penser à une organisation provinciale » (*Hebdo-Coop*, 1980 : 11). Les coopératives réunies en octobre 1979 décident de remettre à plus tard le projet de fédération provinciale et choisissent plutôt de s'orienter vers des organisations régionales légalement constituées. Certains coopérateurs poursuivent néanmoins le projet et déposent une troisième déclaration en mars 1980. Celle-ci a été préparée lors d'une rencontre entre des délégués de deux régions, l'Outaouais et l'Estrie, et des représentants du CCQ, du ministère et de la SHQ. Les coopératives signataires sont au nombre de neuf.

À la suite du refus du CCQ, le gouvernement du Québec met en place la Société de développement coopératif en habitation (SDC-H) en décembre 1979. Il s'agit d'une société mixte financée par le gouvernement provincial et par le Mouvement Desjardins. En termes de promotion de la formule coopérative, ses objectifs sont similaires à ceux des GRT. Toutefois, ce projet concerne davantage les classes moyennes que les couches populaires parce qu'il vise à développer des formules coopératives avec investissement des membres (coopératives à capitalisation individuelle). La création de la SDC-H crée beaucoup d'émoi chez les coopérateurs qui voient ce nouvel intervenant comme une ingérence du gouvernement dans le coopératisme (Sévigny et Tremblay, 1980 : 17).

En parallèle, des assemblées régionales de coopératives d'habitation sont organisées un peu partout dans la province. En mai 1980, lors d'une rencontre provinciale, les coopérateurs sont

---

17. Aujourd'hui le ministère du Développement économique, de l'Innovation et de l'Exportation, MDEIE.

divisés quant au projet de fédération. Ainsi, 8 des 45 coopératives présentes croient que le projet de fédération « nationale » doit toujours être mis de l'avant, tandis que le reste des représentants désirent s'en tenir à l'élaboration d'organisations régionales, tel qu'il a été entendu lors de leur dernière rencontre en 1979. Une scission survient dans le mouvement : la minorité favorable à la fédération sort de la salle et décide quand même de tenter la mise sur pied d'une fédération provinciale. Le ministre des Corporations, des Coopératives et des Institutions financières leur demande de différer leur projet d'un an afin de permettre aux régions de s'organiser.

Fait à noter, cette histoire est à l'origine de la création de deux modèles différents de fédérations. Tous deux visent la promotion et la défense des coopératives locatives à possession continue, s'opposant aux modèles fondés sur la capitalisation individuelle. Mais dans le premier modèle, la fédération s'oriente d'emblée vers des fonctions de développement des nouvelles coopératives, alors que, dans le second, ce rôle est confié aux partenaires que sont les groupes de ressources techniques (incorporés pour la plupart en OSBL et quelques-uns en coopératives de travailleurs).

Dès 1975, le premier modèle de fédération voit le jour dans deux régions, les Cantons-de-l'Est et l'Outaouais. D'abord informels, les regroupements se transforment graduellement en fédérations régionales[18] qui ont pour mandat d'intégrer en leur sein les fonctions de développement. S'affiliant aux sociétés acheteuses[19] ainsi qu'aux GRT de son territoire, la fédération y est le principal maître d'œuvre du développement coopératif dans la région. Dans les régions de Québec, de Montréal et de la Montérégie, le deuxième modèle de fédération apparaît dans un contexte marqué par les revendications et les contestations de l'État. À Montréal, c'est la question des taxes foncières munici-

---

18. Dès 1979 dans les Cantons-de-l'Est.

19. Ce sont « des sociétés sans but lucratif spécialisées dans le domaine de l'acquisition, de la gestion et du transfert d'immeubles d'habitation ou de terrains au bénéfice de coopératives ou d'OSBL d'habitation servant des ménages à faible et à moyen revenu » (Gaudreault, 2004 : 2).

pales qui suscite la première réunion régionale des coopératives d'habitation en 1977. Dans d'autres régions, c'est la volonté du gouvernement fédéral de modifier son programme d'aide aux coopératives d'habitation en 1978 qui suscite la mobilisation des coopératives. Des fédérations régionales naîtront de ces regroupements informels et seront mises sur pied avec l'aide des GRT. Les fonctions sont distribuées : le développement est confié aux GRT alors que les rôles de porte-parole du mouvement, de responsable de la concertation et de l'information reviennent aux fédérations. Celles-ci pourront aussi développer des services complémentaires et améliorer les services existants. De plus, un rôle majeur leur est confié, celui d'exercer des pressions politiques. Ayant peu de ressources humaines ou financières, les regroupements comptent beaucoup sur le bénévolat et sur l'appui d'employés des GRT.

2.1.2 Les interventions publiques : programmes fédéraux article 34.18 (ou article 61) et PAREL ; programme québécois Logipop

La SCHL reçoit en 1973 le mandat de mettre en application un programme expérimental qui avait été soumis par la Fondation de l'habitation coopérative du Canada (FHCC) (Dansereau *et al.*, 1998 : 53). Le programme devient permanent en 1974 avec l'article 34.18 de la LNH (ou article 61), offert aux coopératives d'habitation. Le programme vise les ménages qui ont des revenus trop élevés pour être admissibles au logement public, mais trop bas pour parvenir à accéder à la propriété (Bouchard, 1994 : 37 ; Dansereau *et al.*, 1998 : 33-34). La mixité socioéconomique au sein des coopératives constitue une priorité, tant pour le mouvement coopératif que pour le gouvernement (SCHL, 1990 : 16-17). La SCHL est le prêteur hypothécaire et offre un taux d'intérêt inférieur au marché et constant pour la durée de l'amortissement. Elle y ajoute le Programme d'aide à la remise en état des logements (PAREL). Ce premier plan d'aide à la rénovation de logements a longtemps été utilisé par les coopératives et les OSBL d'habitation du Québec, en complément avec les programmes de développement (AGRTQ, 2002).

L'envol des coopératives d'habitation au Québec se fait à partir de 1976, avec l'élection au gouvernement du Québec du Parti québécois. Celui-ci est *a priori* considéré comme favorable au mouvement coopératif dans son ensemble. Il crée notamment un programme de soutien aux groupes de ressources techniques. En 1977, un colloque réunit les acteurs communautaires et la SHQ. Des promoteurs des coopératives d'habitation présentent un mémoire au ministre des Affaires municipales, demandant au gouvernement de favoriser la création de GRT dans l'ensemble du Québec «plutôt que de développer davantage sa société d'État» (Bouchard et Hudon, 2005:12). Ils obtiennent que la SHQ soit autorisée à octroyer une subvention à des GRT «dont le but [est] la fondation et la promotion de coopératives d'habitation» (Duguay, Sylvestre et Charbonneau, 1983: 48). Le programme Logipop fournit une subvention annuelle de fonctionnement aux GRT qui commencent à se regrouper sur des bases régionales. Le développement de ce réseau culmine en 1984, alors que 39 GRT sont en opération sur le territoire québécois (AGRTQ, 2002). Les projets d'achat et de restauration de même que de développement des petites coopératives (moyenne de 15 logements) dans les grands centres urbains sont favorisés. On vise l'amélioration du cadre de vie en insistant sur les critères d'équipement et de qualité (Blary, 1988: 220).

Au cours de cette période, les interventions publiques ciblent donc le démarrage des projets (subvention de capital et aide à la rénovation) et leur stabilité (prêt à taux fixe sur une longue période). De 1973 à 1978, 6 913 logements coopératifs sont créés au Canada grâce à ce premier programme (LNH, article 34.18 ou 61). De ce nombre, 2 001 le sont au Québec (Dansereau *et al.*, 1998).

2.2 Le tournant des années 1980: l'essor

2.2.1 Les débuts de la consolidation

La crise économique du début des années 1980 entraîne la disparition de certains secteurs coopératifs bien établis (notamment les coopératives de pêcheurs et la fédération des coopératives de consommation) en même temps que l'émergence de coopératives issues des nouveaux mouvements sociaux (notamment les coopératives de travailleurs, d'aliments naturels, en milieu scolaire). Cette situation provoque de vives tensions au sein du mouvement coopératif, en plus de creuser un important fossé entre les coopératives institutionnalisées (la plupart sont représentées par le CCQ) et celles non structurées (Lévesque, 2007 : 34-35).

La Confédération des Caisses populaires Desjardins fonde en 1980 la Société d'habitation Alphonse-Desjardins (SHAD), dans le but de promouvoir le développement de l'habitation, ce qui favorise la réalisation d'initiatives dans le développement de coopératives et d'OSBL d'habitation. Un réseau des Habitations populaires est mis en place. À ce moment, les coopératives et leurs regroupements en savent peu sur les initiatives du Mouvement Desjardins. Certains s'inquiètent de la nature de la formule préconisée (à capitalisation individuelle des membres) et décident de « monter un dossier » sur les actions de Desjardins en matière d'habitation coopérative (Lebœuf, 1984 : 144). Un projet de réforme de la *Loi sur les associations coopératives* est en préparation au palier provincial et tente de faire plus de place aux coopératives à capitalisation individuelle en essayant d'intégrer les condominiums coopératifs. Le souhait des instances de Desjardins de développer ce type de coopératives se heurte à l'opposition du mouvement des coopératives d'habitation locative, qui aura gain de cause.

Les premiers regroupements régionaux de coopératives d'habitation s'incorporent en fédérations : les Cantons-de-l'Est[20] (1979), Québec[21] (1981). Au cours d'un colloque provincial des coopératives d'habitation en 1981, le Comité national de stratégie est mis sur pied dans le but de coordonner l'action en matière de représentation et de revendication auprès des gouvernements.

Après ceux des Cantons-de-l'Est et de Québec, d'autres regroupements régionaux s'incorporent en fédérations régionales :

---

20. L'actuelle Fédération Coop-Habitat Estrie a été créée à la suite de la fermeture de la Fédération des Cantons-de-l'Est des coopératives d'habitation.

21. La FRÉCHAQ élargira son territoire et deviendra la Fédération régionale des coopératives d'habitation du Québec, Chaudières-Appalaches (FRÉCHAQC). Elle modifiera son appellation pour devenir à compter de 2001 la Fédération des coopératives d'habitation de Québec, Chaudière-Appalaches (FÉCHAQC).

Montréal[22] (1983), la Montérégie (1983), l'Outaouais (1985)[23]. La région du Saguenay–Lac-Saint-Jean suivra plus tard (1990). En 1983, le Comité national de stratégie se donne une existence légale sous forme d'OSBL et devient le Conseil québécois des coopératives d'habitation. Le Conseil se veut le représentant de l'habitation coopérative au Québec et son porte-parole officiel. On y traite notamment de «solutions complémentaires ou alternatives aux programmes de financement gouvernementaux» pour le développement de nouvelles coopératives d'habitation (FÉCHIM, 1985). La structure du nouveau Conseil québécois des coopératives d'habitation devient plus formelle et se compose de deux personnes désignées par le conseil d'administration de chacune des fédérations régionales. Le Conseil tient par ailleurs un colloque annuel qui se veut un lieu de formation des membres au fonctionnement des coopératives d'habitation. Il n'a toutefois ni budget d'opération ni employés. Ses dépenses sont assumées par les différentes fédérations régionales. Celles-ci décident en 1987 de créer l'actuelle Confédération québécoise des coopératives d'habitation (CQCH).

2.2.2 Les interventions publiques : programmes québécois Logipop, Loginove et PIQ ; programme fédéral article 56.1 (ou article 95)

La fin des années 1970 amène de nouvelles règles de jeu en ce qui a trait aux interventions publiques. Notamment, les modalités du nouveau programme d'aide à l'habitation coopérative et sans but lucratif dépendent davantage de l'évolution du marché de l'habitation et du financement. On introduit aussi des mesures ciblées vers les plus démunis, sous forme d'aide «à la personne»[24].

---

22. En 2002, la FÉCHIM élargit son territoire vers Laval et les MRC de Deux-Montagnes, Mirabel et Thérèse-de-Blainville. Elle prend alors le nom de *Fédération des coopératives d'habitation intermunicipale du Montréal métropolitain* (FÉCHIMM), www.fechimm.coop/fechimm.html.
23. Une fédération est aussi apparue dans la région de Lanaudière, la Fédération lanaudoise des coopératives d'habitation. Créée le 11 juin 1992, elle a mis fin à ses activités le 16 octobre 2003.
24. Pour plus d'explications sur l'aide à la personne, lire les chapitres 2 et 3.

La SCHL, qui avait d'abord été un bailleur de fonds direct pour les coopératives et les OSBL d'habitation, modifie son approche en 1979 avec le l'article 56.1 de la LNH (ou article 95) et offre plutôt une subvention au taux d'intérêt pour des prêts obtenus par les organisations de logement auprès d'institutions financières privées. Sur le plan du budget public, cela a pu prendre l'apparence d'une réduction de l'intervention gouvernementale fédérale. En fait, la hausse dramatique des taux d'intérêts au début de la décennie 1980 entraîne une augmentation des sommes versées par la SCHL pour ce programme. La subvention est égale au montant nécessaire pour ramener les paiements à ceux d'une hypothèque à 2 %. Cette subvention doit s'éliminer graduellement, de sorte qu'à compter de la troisième année la portion du capital-intérêts assumée par l'organisation augmente de 5 % par année jusqu'à l'amortissement complet des emprunts. Alors qu'avec le premier programme fédéral (article 34.18 ou 61) les loyers étaient déterminés en fonction des coûts d'exploitation, ils sont désormais fixés, pour la première année de fonctionnement, à la limite inférieure des loyers du marché environnant. On constate que ce programme convient davantage aux projets de construction qu'à ceux de rénovation de bâtiments existants. Il a d'ailleurs été conçu à la suite d'une consultation effectuée par la SCHL auprès de la FHCC qui regroupait principalement des acteurs coopératifs des provinces canadiennes anglophones mais seulement quelques GRT du Québec, province où les besoins en rénovation étaient encore importants (*Hebdo-Coop*, 1978).

Ce programme intègre pour la première fois une aide à la personne en prévoyant qu'un minimum de 15 % des logements rendront accessible une aide aux ménages les plus démunis. Les plafonds de revenus des résidants ne sont plus déterminés en fonction de seuils nationaux de revenus mais plutôt en fonction de la capacité de défrayer les coûts du loyer, traduisant ainsi une volonté de mieux répondre aux disparités entre les différents segments du marché de l'habitation. Ainsi, l'aide ciblée s'adresse à des occupants qui consacrent plus de 25 % de leur revenu pour se loger. C'est donc aussi le marché qui détermine ces bénéficiaires puisque les subventions sont accordées en fonction d'une incapacité à faire face à des droits d'occupation déterminés par rapport au marché. En conséquence, les loyers ne reflètent plus, de manière subjective du moins pour ces locataires, la réalité des coûts d'exploitation de l'immeuble.

Cette période a connu un véritable essor du développement des coopératives et des OSBL d'habitation au Québec. Environ 24 500 unités de logements ont été réalisées en vertu de l'article 56.1 de la LNH (ou article 95) (Ducharme et Vaillancourt, 2002: 27).

En 1980, un remodelage de l'attribution des responsabilités a lieu avec pour point de mire le palier provincial. Les subventions à la personne, le Programme de supplément au loyer (PSL) et les programmes de rénovation sont désormais assumés conjointement par les gouvernements fédéral et provincial au moyen d'un accord de financement couramment appelé « entente fédéral-provincial ». En 1984, Québec décide de fusionner certains de ses propres programmes existants (Logipop, Loginove, Corvée-Habitation) et crée le Programme intégré québécois (PIQ), qui sera le premier programme provincial visant à soutenir, indépendamment des subventions fédérales, le logement communautaire.

2.3 Les années 1985-1994: nouvelle pauvreté et nouvelle vague d'innovations

2.3.1 De nouvelles demandes sociales et la poursuite de la consolidation

Au milieu des années 1980, on assiste à la crise de l'État-providence et à la montée de l'exclusion, notamment concernant le chômage de longue durée. Tel qu'il est mentionné plus haut, l'intervention gouvernementale directe à long terme en matière de logement public (la formule HLM) est de plus en plus questionnée. D'une part, cette formule apparaît trop coûteuse et trop lourde sur le plan administratif. C'est pourquoi les gouvernements cherchent des alternatives qui seraient prises en charge par des acteurs non gouvernementaux et découvrent l'apport des coopératives et des OSBL d'habitation. D'autre part, une nouvelle pauvreté se développe, notamment à Montréal où le nombre de sans-abri inquiète, en particulier à partir de 1987, alors qu'un recensement de ce segment de la population est effectué dans le cadre de l'Année internationale du logement des sans-abri. Cette situation est aggravée par des projets de rénovation urbaine qui ont pour effet la fermeture de nombreuses maisons de chambres insalubres. De nouveaux mouvements de lutte contre la pauvreté et pour «le droit à la chambre» apparaissent, orchestrés par les centres locaux de services communautaires (CLSC)[25] et les groupes communautaires des quartiers centraux de Montréal (Ducharme et Vaillancourt, 2002). Une réponse, partielle mais innovante, à ce problème a été la création d'OSBL de maisons de chambres. Cette nouvelle catégorie d'OSBL d'habitation a donné lieu à la création de la Fédération des OSBL d'habitation de Montréal (FOHM) en 1987. En plus d'assurer la représentation de ses membres, la FOHM reçoit dès sa création des contrats de gestion de maisons de chambres achetées et rénovées par l'Office municipal d'habitation de Montréal (OMHM). Ce dernier n'était pas en mesure de gérer les maisons de chambres qui abritent une clientèle plus lourde que celle qu'il prend habituellement en charge. C'est le début de la création du logement social avec soutien communautaire (Vaillancourt et Ducharme, 2002 : 21, 28).

En raison de la diminution du financement public (tant pour les GRT que pour le développement des coopératives et des OSBL d'habitation), résultant du retrait du gouvernement fédéral du développement de nouveaux projets (voir plus bas), le nombre de GRT diminue dès 1985. Sentant le besoin de consolider le réseau, l'Association des groupes de ressources techniques du Québec (AGRTQ) est créée en février 1989.

2.3.2 Les interventions publiques : programme fédéral PFCH ; programme provincial PSBLP

Dès 1983, l'importance du déficit des finances publiques devient une préoccupation majeure pour le gouvernement fédéral. Le principe d'universalité de l'aide en matière de logement communautaire

---

25. Au moment de la réorganisation des services de santé au Québec en 2004, les CLSC ont été intégrés dans les centres de santé et de services sociaux (CSSS).

est remis en question et on cherche à diriger l'aide vers les plus démunis. Par ailleurs, l'évaluation négative de l'article 56.1 de la LNH (article 95) par le gouvernement fédéral fait craindre pendant un moment la fin du financement canadien dans le domaine de l'habitation communautaire[26]. Cependant, la FHCC réussit à sauver l'intervention du fédéral, à la faveur de l'arrivée au pouvoir du gouvernement du Parti conservateur du Canada en 1985. La FHCC fait notamment valoir que les coopératives d'habitation « ne sont pas du logement social » mais bien un mode d'occupation intermédiaire entre la location et la propriété individuelle[27]. Selon la FHCC, les coopératives devraient en conséquence bénéficier d'un traitement équitable eu égard aux subventions directes et indirectes offertes à l'ensemble du secteur de l'habitation, notamment aux propriétaires individuels. La Fédération propose l'utilisation d'un nouvel outil financier, le prêt hypothécaire indexé (PHI), qui donnera son surnom au Programme fédéral des coopératives d'habitation (PFCH) en 1986.

Exclusivement destiné aux coopératives, ce programme est géré par la SCHL. Cette fois, c'est de 30 % à 50 % des ménages qui doivent pouvoir bénéficier du supplément au loyer pour que la coopérative puisse obtenir l'aide financière. Le Programme de supplément au loyer, jumelé au PFCH, est administré par la SHQ, bien que les coûts soient assumés par les deux paliers de gouvernement.

Le PFCH prévoit des taux d'intérêts qui évoluent au rythme du taux d'inflation, moins 2 %. Pour pallier aux risques d'effondrement des loyers et prévenir les réclamations faites au Fonds d'assurance hypothécaire de la SCHL, on crée un fonds de stabilisation au sein du mouvement[28]. Or, entre le milieu des années

---

26. Cette évaluation a toutefois été fortement critiquée, y compris par le comité consultatif d'évaluation formé par la SCHL.

27. Cette opinion n'est pas partagée par tous, comme en témoigne la définition du logement social qu'utilise le FRAPRU : « Habitations à loyer modique, coopératives d'habitations [sic] et autres formes de logements sans but lucratif » (www.frapru.qc.ca/Docs/LogSoc.html, site consulté le 17 février 2008).

28. Le Fonds de stabilisation fédéral des coopératives d'habitation est une fiducie administrée par des fiduciaires nommés par la FHCC et par le ministre responsable de la SCHL.

1980 et le début des années 1990, une hausse substantielle du taux de vacance dans le secteur locatif a provoqué l'affaissement des loyers du marché. Conséquemment, les coopératives ont connu un roulement important de leurs occupants, éventuellement un taux de vacance élevé, et le fonds de stabilisation a reçu beaucoup de demandes de soutien.

Du côté provincial, la SHQ devenait en 1986 le seul agent de livraison de programmes en matière de logement dans la province de Québec (les réserves autochtones exceptées), en vertu de l'Entente-cadre Canada-Québec sur l'habitation sociale. Étant donné la priorité annoncée du gouvernement fédéral de fournir de l'aide aux plus démunis, le Programme de logement sans but lucratif privé (PSBL-P) est mis sur pied, remplaçant le Programme intégré québécois (PIQ). Ce programme, à frais partagés entre le gouvernement fédéral (75 %) et le gouvernement provincial (25 %), cible exclusivement les ménages qui, pour être admissibles, doivent répondre à des critères de revenu[29]. Les subventions sont destinées à réduire le loyer de tous les occupants et soutiennent les organisations suivant l'écart entre la capacité des occupants de payer le loyer (25 % de leurs revenus) et les charges de la coopérative, telles qu'elles sont approuvées par la SHQ[30]. Les surplus – ou les pertes – de fin d'exercice sont absorbés par la Société d'habitation du Québec, qui en réclame une partie (75 %) au gouvernement fédéral.

On assiste ainsi à une diminution de la mixité socioéconomique et à un clivage du sociétariat entre les coopératives d'habitation issues du PSBL-P et celles des autres programmes depuis 1973 (Bouchard, 1994 : 61 ; Dansereau *et al.*, 1998 : 36). En outre, le programme mène à l'institutionnalisation des normes de gestion, et donc à une réduction de l'autonomie des initiatives (Fortin, 2003 : 59). Les interventions envers les ménages à faible revenu

---

29. Pour être admissible, un ménage doit démontrer que ses revenus n'excèdent pas les plafonds de revenu déterminant les besoins impérieux (PRBI). À compter de 1990, le Règlement sur l'attribution des logements à loyer modique s'applique également.

30. Le loyer des ménages est établi selon le Règlement sur les conditions de location des logements à loyer modique, appliqué également dans les HLM.

donnent par ailleurs lieu à une augmentation importante du nombre d'OSBL d'habitation. Ce programme aurait permis la production de 5 020 unités dans 214 OSBL d'habitation (RQOH, 2007 : 9). Le vieillissement de la population entraîne aussi une remise en question de l'intervention publique dans le secteur de l'habitation pour personnes âgées, aux prises avec une trop forte demande. D'autres besoins apparaissent avec le processus de désinstitutionalisation du système public de santé et l'accroissement du nombre de sans-abri. Afin d'offrir un soutien à ces personnes, des OSBL développent des services connexes à l'habitation. Les OSBL d'habitation ont conçu une formule adaptée, sorte d'intermédiaire entre les services centralisés offerts par l'État et les services à domicile (voir le chapitre 5). Ces initiatives mènent à ce qu'une catégorie de projets d'habitation dits « avec services » soit introduite en 1990 par l'intermédiaire du PSBL-P. La SHQ augmente aussi la portée de son programme avec un volet réservé aux personnes âgées en perte d'autonomie, le Programme de logement sans but lucratif privé – personnes âgées en perte d'autonomie (PSBL-P PAPA). Cependant, puisque de plus en plus de services et de soins sont requis, la frontière entre habitation et hébergement devient de plus en plus floue.

Le PSBL-P et le PFCH sont abandonnés en 1994 avec le retrait du gouvernement fédéral du financement de toute nouvelle initiative en matière d'habitation communautaire[31]. Précisons cependant que la SCHL conservera son rôle dans la livraison et la gestion du PFCH jusqu'à la fin des conventions avec les coopératives créées avec l'aide de ce programme. Cette fois, la Fédération de l'habitation coopérative du Canada ne réussit pas à convaincre le gouvernement canadien de maintenir son intervention. À ce moment, les provinces doivent prendre le relais. « Cependant, leur implication et leur engagement restent timides et ne s'accompagnent pas d'une politique d'ensemble dans le domaine de l'habitat social » (Dansereau et al., 1998 : 49).

Le retrait graduel du gouvernement fédéral depuis déjà la fin des années 1980, conjugué à la lenteur du gouvernement provin-

---

31. Il en va de même pour le logement public.

cial à prendre le relais, accroît le rôle des municipalités en matière de logement communautaire. Mais ces nouvelles responsabilités demandent des efforts que le manque de ressources financières et humaines de plusieurs villes rend difficiles à assumer ; le développement est très inégal entre les municipalités (Dansereau *et al.*, 1998 : 50). Plusieurs d'entre elles prennent toutefois des initiatives. Par exemple, la Ville de Montréal crée en 1989 le Programme d'acquisition de logements locatifs (PALL). Ce programme faisait en sorte que la Ville acquérait et rénovait des logements pour ensuite en céder la gestion à des coopératives ou des OSBL d'habitation. Le financement nécessaire à l'acquisition était assuré par la Ville de Montréal elle-même et s'échelonnait sur dix ans. Quant aux rénovations, elles étaient financées à l'aide des programmes de rénovation en vigueur à l'époque. Les locataires de ces logements se voyaient offrir la possibilité de créer leur propre coopérative pour assurer eux-mêmes la gestion de l'immeuble. Sinon, la gestion pouvait être transférée à des groupes existants, ou encore à des coopératives ou des OSBL d'habitation nouvellement créés, souvent à l'initiative des GRT, avec le financement de la Société d'habitation et de développement de Montréal (SHDM). Il s'agissait donc d'une initiative créant des coopératives par le haut (Dansereau *et al.*, 1998 : 52), tout en s'associant aux milieux locaux pour s'assurer d'une meilleure pénétration du programme. De 1989 à 1994, années au cours desquelles le programme a été en vigueur, plus de 3 000 logements ont bénéficié de cette intervention (Gaudreault, 2004 : 19, 21), avec une période particulièrement active au début des années 1990 (Dansereau *et al.*, 1998 : 89). Une autre initiative de la SHDM, le Programme d'acquisition de maisons de chambres (PAMAC), a permis l'acquisition et la rénovation de quelque 400 chambres par des OSBL.

De son côté, dès 1993, le secteur du logement communautaire fait alliance avec les groupes de pression du logement public et communautaire réunis au sein du Front d'action populaire en réaménagement urbain (FRAPRU) pour convaincre le gouvernement québécois d'assumer sa responsabilité en matière de logements communautaire et social. Une proposition de programme élaborée conjointement par l'AGRTQ et la CQCH devient alors la pierre angulaire des revendications communes. Souhaitant aussi relancer le développement du logement communautaire, la Ville de Montréal met en place à la fin de la même année un programme municipal fortement inspiré de la proposition AGRTQ-CQCH. Elle travaille en partenariat avec les GRT du territoire montréalais pour en démontrer la faisabilité. Plus d'une centaine de logements réalisés, ce qui convainc la Ville de s'associer en 1994 aux groupes communautaires dans une demande commune auprès du gouvernement provincial, appelée la Résolution Montréal.

2.4 La période de 1994 à 2008

2.4.1 Le retrait du gouvernement fédéral et le partenariat avec Québec

Profitant d'une campagne électorale provinciale lancée à l'automne 1994, les groupes communautaires obtiennent du Parti québécois l'engagement d'un nouveau programme de développement. Nouvellement élu, le gouvernement tient sa promesse et donne le mandat à la SHQ d'élaborer et de livrer un programme de développement de logements communautaires inspiré de la proposition AGRTQ-CQCH de 1993. Toutes les normes du Programme d'aide à la rénovation des coopératives et des OSBL (PARCO) furent négociées et convenues entre la SHQ et les représentants de l'AGRTQ et de la CQCH. Prudent, le gouvernement qualifie le PARCO d'expérimental et en limite la production à une seule programmation de 1 200 logements.

À cette époque, la promotion de « l'économie sociale » commence à se faire au Québec. L'expression fait son apparition en 1995 à la suite de deux événements. Le premier est la marche des femmes contre la pauvreté appelée la *Marche du Pain et des Roses* en juin 1995, une manifestation civile qui interpelle les pouvoirs publics et les acteurs sociaux pour des investissements dans les infrastructures sociales visant l'amélioration du cadre de vie, un domaine où les femmes sont massivement représentées. Le second relève de l'État québécois lors de la préparation du Sommet sur l'économie et l'emploi organisé en vue de définir « les grandes lignes d'un nouveau pacte social », dont l'un des principaux éléments était une politique de déficit zéro du budget de l'État. Le Groupe de travail sur l'économie sociale, créé à cette occasion[32], a formulé une série de propositions, incluant des mesures pour soutenir le développement de projets d'habitation communautaire.

En 1997, à la demande des groupes de promotion du logement communautaire, le gouvernement du Québec crée le Fonds québécois d'habitation communautaire (FQHC). Le FQHC est un organisme sans but lucratif dont la mission est de coordonner les efforts de tous les acteurs du secteur de l'habitation afin de favoriser la réalisation et le maintien de logements communautaires de qualité à coût abordable. Les membres de son conseil sont issus de réseaux d'économie sociale, des gouvernements provinciaux et municipaux, et du milieu des affaires. Son rôle est fortement associé au programme AccèsLogis (créé dans la suite du PARCO), le FQHC devant éventuellement administrer d'importants fonds destinés au développement du logement communautaire (voir le chapitre 3). Avec la création du FQHC, on atteint une reconnaissance inégalée jusqu'alors de la légitimité des acteurs du milieu de l'habitation communautaire.

C'est aussi à compter de cette période que le secteur des OSBL d'habitation se consolide véritablement. Après la création de la Fédération des OSBL d'habitation de Montréal (FOHM) en 1987, la Fédération régionale des OSBL en habitation de Québec, Chaudière-Appalaches (FROHQC) et l'Association nationale des OSBL d'habitation et d'hébergement pour personnes âgées (ANOHPA) sont créées en 1995. Dès 1998, des discussions s'amorcent entre ces trois organisations en vue de créer une association provinciale générale des OSBL d'habitation. S'inspirant du modèle de la Confédération québécoise des coopératives d'habitation, le Réseau québécois des OSBL d'habitation (RQOH), créé en 2000, contribue à consolider le secteur, tant localement qu'auprès du gouvernement, tout en stimulant la création de trois autres fédérations régionales durant la même année[33]. Au départ, les fédérations

---

32. Ce groupe deviendra le Chantier de l'économie sociale en 1999.
33. Il s'agit du Regroupement des OSBL d'habitation et d'hébergement avec support communautaire en Outaouais (ROHSCO), de la Fédération régionale des

et le RQOH assument surtout un rôle de représentation. Toutefois, deux modèles se dessinent peu à peu au sein du réseau. Le premier, qui correspond au modèle de la FOHM, concerne les fédérations qui désirent développer une offre de services (gestion financière, assurances, gestion immobilière, etc.). Cette formule a été adoptée par la plupart des fédérations. Le second, plus marginal, concerne les fédérations qui refusent d'agir en tant que gestionnaires des OSBL d'habitation. Dans cette seconde perspective, la mission principale de la fédération est avant tout de défendre et d'aider ses membres, mais non pas de leur offrir directement des services.

2.4.2 Les interventions publiques: programme fédéral Initiative en matière de logement abordable; programmes provinciaux PARCO, AccèsLogis et Logement abordable Québec

Le PARCO, au départ un programme expérimental, met de l'avant des changements majeurs dans les modes de financement et de suivi traditionnellement mis en pratique par les instances publiques. Géré par la SHQ, il introduit pour la première fois l'obligation de contribution du milieu (fixée au tiers de la subvention versée par la SHQ). En exigeant une contribution de 10 % à 15 % du coût total du projet, le programme accroît l'importance du rôle qui est dévolu aux municipalités qui l'assument en totalité ou en partie. Profitant du Sommet sur l'économie et l'emploi de l'automne 1996, le secteur du logement communautaire s'associe au Groupe de travail sur l'économie sociale et obtient en 1997 un «vrai» programme de développement de logement communautaire, AccèsLogis. D'abord limité à cinq (5) programmations, AccèsLogis est reconduit et bonifié en 2001, à la faveur d'une crise du logement qui sévit alors et d'une menace de récession qui pointe à l'horizon[34].

OSBL d'habitation du Saguenay– Lac-Saint-Jean, Chibougamau-Chapais et Côte-Nord (FROH-SLSJCCCN) et de la Fédération des OSBL d'habitation Roussillon, Jardins du Québec, Suroît (FOHRJS).

34. À la suite des attentats du World Trade Center (11 septembre 2001), une grave récession est appréhendée. Le gouvernement du Québec adopte un budget spécial qui permet le lancement d'un vaste plan d'accélération des investissements publics (PAIP), lequel donnera lieu notamment à des investissements supplémentaires en habitation.

Au début des années 2000, le taux d'inoccupation des logements locatifs diminue et passe sous le seuil d'équilibre de 3 % (Divay, Séguin et Sénécal, 2005 : 24-25). De surcroît, la production de logements locatifs neufs est insuffisante et n'arrive pas à combler les besoins. Pour y faire face, les provinces et le gouvernement fédéral s'entendent, en novembre 2001, sur un programme à frais partagés pour la construction de logements abordables, dans lequel la contribution du gouvernement fédéral vient compléter celle des provinces. Il s'agit de l'initiative en matière de logement abordable. Le Québec est la première province à conclure l'entente cette même année et crée le programme Logement abordable Québec (LAQ), qui entre en vigueur en 2002. Ce programme comporte un volet communautaire qui s'adresse aux coopératives et aux OSBL d'habitation, aux sociétés acheteuses, aux municipalités et aux offices d'habitation (OH) « qui souhaitent mettre en œuvre des projets destinés aux ménages à faible revenu » (SHQ, 2007). Les projets doivent être réalisés dans les municipalités où le taux d'inoccupation est inférieur à 3 %. Afin de pouvoir bénéficier des subventions de capital offertes par le programme, une participation financière du milieu s'élevant minimalement à 15 % des coûts de réalisation est obligatoire. Encore une fois, la contribution du milieu est assumée en totalité ou en partie par les municipalités. Elle peut prendre plusieurs formes : aide financière directe, don d'un terrain, rabais de taxes ou services professionnels offerts gratuitement. Dans le cadre de ce partenariat, 236,51 M$ avaient été versés au Québec par le gouvernement fédéral en date du 31 décembre 2001 (SCHL, 2007). Le LAQ est reconduit en 2003. Il a permis la réalisation de 855 logements en OSBL (RQOH, 2007 : 9) et de 286 logements coopératifs (Mercier, 2006 : 24).

L'année 2002 marque donc le retour du gouvernement fédéral en matière de financement de l'habitation communautaire. Toutefois, il évite de s'engager à nouveau dans le financement à long terme par l'utilisation d'une « notion assez large pour couvrir à la fois des mesures d'aide visant à abaisser les coûts de logements du marché et la création de logements sociaux à caractère plus ou moins temporaire » (Divay, Séguin et Sénécal, 2005 : 24). Au moment où nous concluons ce chapitre, deux programmes d'aide gouvernementale à l'habitation communautaire sont en vigueur au Québec, AccèsLogis et LAQ.

Conclusion

L'histoire de l'habitation communautaire au Québec se déroule en qautre étapes, les différentes « générations » affichant des traits communs. Elles répondent à des besoins de logement non satisfaits par le marché ou le secteur public. Elles optent pour les formules associative et coopérative et elles affichent une volonté de reproduire la formule à une large échelle. Chaque génération d'habitation communautaire est par ailleurs également marquée de manière spécifique par ses rapports avec les mouvements sociaux, l'État et le marché.

Au Québec, les revendications sociales pour une habitation de qualité à prix abordable participent à des mouvances plus larges : le mouvement ouvrier, le mouvement nationaliste, les mouvements sociaux urbains. De même, les politiques publiques s'inscrivent dans un contexte marqué par les relations du Québec avec le gouvernement du Canada. Les programmes du gouvernement fédéral en matière d'habitation, même s'ils apparaissent tardivement et qu'ils ont un impact modéré comparativement aux autres pays de l'OCDE (exception faite des États-Unis), sont précurseurs de l'intervention du gouvernement du Québec. Les coopératives et les organismes sans but lucratif sont perçus comme une solution alternative au logement public, du moins pour une partie de la population : les ménages qui collectivisent une partie des efforts et du risque (coopératives de construction en accession à la propriété, éventuellement les formules à capitalisation individuelle – qui n'ont pas encore vu le jour en grand nombre au Québec) ou ceux qui optent pour la propriété durablement collective du patrimoine immobilier (coopératives et OSBL d'habitation locative à possession continue).

Les importants besoins de financement des projets d'habitation amèneront aussi différentes combinaisons de ressources financières : celles des résidants, sous forme monétaire et non monétaire (le bénévolat) ; celles des gouvernements, sous forme de subventions ou de prêts directs; celles des institutions financières, sous forme de prêts hypothécaires et de services financiers. Les besoins techniques et financiers des projets amènent à développer différentes solutions adaptées au logement communautaire. Les organismes de soutien au développement et à la consolidation du secteur naissent de la volonté de constituer un parc important d'organisations communautaires d'habitation et de les regrouper dans un «mouvement». Les regroupements et les fédérations se sont développés suivant l'un ou l'autre de deux modèles: l'un intégrant différentes fonctions du développement (promotion, financement, construction); l'autre ayant surtout des fonctions de soutien au développement et de soutien des ensembles d'habitation (concertation territoriale, représentation politique, aide à la gestion). Des initiatives de développement sont faites par le haut (modèle descendant) ou par le bas (modèle ascendant).

Cela donne lieu à différentes configurations.

Une première configuration est celle de la **mutualité et de l'auto-organisation**. Les premières coopératives de construction apparaissent au cours des années 1930, alors que la crise économique suscite une vague d'émergence coopérative au Québec. Des OSBL d'habitation ont aussi pu naître de manière plus ou moins formelle à cette époque mais, à ce jour, peu d'études se sont penchées sur le sujet. Le mouvement nationaliste s'inspire du corporatisme social en voulant créer un vaste mouvement coopératif multisectoriel qui agirait comme une structure parallèle à l'État, dans le but d'encadrer la gestion des activités économiques et de voir aux relations entre les groupes sociaux. Dans le domaine de l'habitation, les promoteurs misent sur la mutualité pour promouvoir l'accession à la propriété (les coopératives de construction). Une fédération est créée à l'instigation du mouvement coopératif et mutualiste québécois dans le but de soutenir le développement. L'augmentation des coûts de construction limitera éventuellement l'accession à la propriété de maisons unifamiliales pour les couches populaires, même avec le recours à la mutualité. La fédération n'a pas de base associative stable, les coopératives étant dissoutes après la construction des maisons.

Une deuxième configuration est celle des **outils de finance-ment et de développement centralisés**. Au Québec, cette configuration s'est appuyée sur deux piliers, public et coopératif. Elle apparaît au moment où on prend acte de la difficulté à rencontrer des objectifs de prix abordables à partir de formules visant l'accès à la propriété individuelle. Elle naît aussi d'une volonté de partenariat entre le mouvement coopératif et l'État québécois en émergence pour soutenir le développement économique du Québec. Coop-Habitat innove en empruntant la formule locative à possession continue. Le financement est alors assuré par une structure centrale, des organisations régionales sont en charge du développement des projets, et les coopératives locales créées s'occupent des relations entre les locataires et de la gestion courante des immeubles d'habitation. L'expérience ne dure que quatre années. Plus tard, la Société de développement coopératif en habitation (SDC-H) et la Société d'habitation Alphonse-Desjardins misent aussi sur les outils de financement, en proposant cette fois, avec l'appui du gouvernement du Québec, des formules avec capitalisation individuelle des membres. Mais les coopératives d'habitation existantes, dont la propriété est collective et sans but lucratif pour les membres, s'y opposeront.

La troisième configuration, contemporaine, est un **réseau de réseaux**. La formule locative à possession continue est retenue mais c'est sur un modèle ascendant que se fait le développement. L'expérience des générations antérieures et l'ouverture progressive des instances publiques à la concertation avec les acteurs du terrain ont permis des innovations fructueuses en matière de formules de propriété, d'offres de services spécialisés et de programmation des aides publiques. Cette configuration repose également sur deux piliers, public et communautaire (coopératives et OSBL) mais aussi sur une mobilisation des milieux et des groupes de résidants en amont de la réalisation des projets. La prise en charge autonome des organisations et la mixité socioéconomique des résidants font partie des objectifs visés. Les montages financiers, l'aide technique et l'accompagnement des groupes de résidants, le soutien à la gestion des organisations existantes et le développement de services pour les personnes vivant des difficultés particulières sont structurés de différentes manières par des organisations distinctes. Le mouvement actuel est polymorphe, étant constitué comme un réseau de réseaux : l'Association des groupes de ressources techniques du Québec ; la Confédération québécoise des coopératives d'habitation ; le Réseau québécois des OSBL d'habitation ; et le Fonds québécois d'habitation communautaire, qui réunit ces acteurs avec des représentants des milieux communautaire, municipal, financier et gouvernemental du Québec, avec pour mission de coordonner les protagonistes dans le but de promouvoir l'habitation communautaire.

Comme on le verra dans les prochains chapitres de cet ouvrage, le secteur de l'habitation communautaire affiche aujourd'hui un portrait qui est à plusieurs égards impressionnant et innovant, du moins à l'échelle canadienne. Mais il doit également relever des défis qui font parfois écho aux leçons qui peuvent être tirées de l'histoire du mouvement. Notons en premier lieu les particularités de l'économie sociale dans ce secteur. Les ressources requises pour la mise en œuvre des projets d'habitation sont importantes, tant au plan financier que de la compétence technique. Les conditions de **financement** et les activités de **promotion** jouent un rôle central dans le rythme de développement des organisations et dans la capacité d'assurer la reproduction à long terme des formules développées. La relative convergence des objectifs visés par les **politiques d'habitation** avec ceux qui sont inhérents aux organisations d'économie sociale a des effets sur la capacité d'offrir des logements à un coût abordable pour les groupes sociaux qui vivent des difficultés à se loger. Par ailleurs, le parc de logements créé a une longévité supérieure à la durée d'occupation des logements des premiers occupants. La **formule de propriété** et la **qualité de l'accompagnement** des projets ont des conséquences sur la capacité des organisations à conserver à long terme leur mission d'économie sociale, voire sur la pérennité même du secteur. En second lieu, et cela n'est pas exclusif au secteur de l'habitation, les vagues d'émergence de l'économie sociale sont le fruit de la rencontre entre des valeurs et des besoins émergents à une époque, et des initiatives prises par des entrepreneurs collectifs pour y répondre adéquatement. Le potentiel d'innovation sociale des organisations repose sur leur **ancrage dans les milieux** concernés. L'anticipation du changement et l'adaptation aux nouvelles réalités reposent également sur l'existence de **lieux de réflexion et de débat** auxquels sont conviés de participer sur une base démocratique les principaux intéressés.

Bibliographie

AGRTQ (2002). *Manuel de développement de projet*, Montréal, Association des groupes de ressources techniques du Québec et Comité sectoriel de main-d'œuvre en économie sociale et action communautaire.

Bernard, S. *et al.* (1980). *Évaluation du Groupe de ressources techniques en habitation de Montréal*, Montréal, texte inédit.

Blary, R. (1988). *Habitat: du discours aux pratiques*, Montréal, Éditions du Méridien.

Bouchard, M. J. (2006). «De l'expérimentation à l'institutionnalisation positive, l'innovation sociale dans le logement communautaire au Québec», *Annales de l'économie publique, sociale et coopérative*, numéro thématique sur l'Innovation sociale, vol. 77, n° 2, p. 139-165.

Bouchard, M. J. (1994). *Évolution de la logique d'action coopérative dans le secteur du logement locatif au Québec*, Marseille, École des Hautes Études en Sciences Sociales (thèse pour le doctorat unique).

Bouchard, M. J. et M. Hudon (2005). «Le logement coopératif et associatif comme innovation sociale émanant de la société civile», *Interventions économiques*, n° 032, (revue électronique). www.teluq.uquebec.ca/pls/inteco/rie.entree?vno_revue=1

Charbonneau, R. et J. P. Deslauriers (1985). «Les générations de formules de coopératives d'habitation au Québec: 1938-1980», dans C. Vienney *et al.* (dir.), *Analyse socio-économique comparée des coopératives d'habitation en France et au Québec*, Chicoutimi, GRIR/Université du Québec à Chicoutimi. p. 125-199.

CHFC (s.d.). *Analysis of federal co-operative housing program projects in difficulty. Executive summary*, Co-operative Housing Federation of Canada, S.l., document photocopié.

Collin, J. P. (1988). «La modernisation de la société québécoise dans les années cinquante: le cas des coopératives d'habitation», dans J.-F. Léonard (dir.), *Les leaders politiques du Québec contemporain: Georges-Émile Lapalme*, Québec, Presses de l'Université du Québec, p. 47-51.

CQCH. *Historique*, Confédération québécoise des coopératives d'habitation. En ligne : www.cqch.qc.ca/, site consulté le 17 juillet 2007.

Dansereau, F. *et al.* (1998). *Statuts et modes d'accès au logement : expériences et solutions innovatrices au Canada depuis les années 1970*, Montréal, Plan Urbanisme Construction Architecture, Sociétés urbaines, habitat et territoire, INRS-Urbanisation, novembre.

Dennis, M. et S. Fish (1972). *Programs in Search of a Policy. Low Income Housing in Canada*, Toronto, Hakkert.

Divay, G., A. M. Séguin et G. Sénécal (2005). « Le Canada », dans F. Dansereau *et al.* (coord.), *Politiques et interventions en habitation : Analyse des tendances récentes en Amérique du Nord et en Europe*, Québec, Presses de l'Université Laval, p. 13-44.

Ducharme, M.-N. (2004). « Les OSBL d'habitation : porteurs d'innovation sociale dans la reconfiguration du secteur de la santé et du bien-être », dans M.J. Bouchard et L. Proulx (dir.), *Le logement communautaire : développer en partenariat*, synthèse du colloque de l'ARUC-ÉS du 7 novembre 2003, Montréal, ARUC-ÉS, T-02-2004, p. 27-38.

Ducharme, M.-N., L. Lalonde, et Y. Vaillancourt (2003). *L'économie sociale au cœur des pratiques novatrices en logement social : L'expérience du Québec*, Montréal, UQAM, Cahiers du LAREPPS, n° 03-05.

Ducharme, M.-N. et Y. Vaillancourt (2002). *Portrait des organismes sans but lucratif d'habitation sur l'île de Montréal*, Montréal, UQAM, Cahiers du LAREPPS, n° 02-05.

Ducharme, M.-N. et F. Vermette. *Notes d'entretien*, Montréal, Réseau québécois des OSBL d'habitation, 11 juillet 2007.

Duguay, L., P. Sylvestre et R. Charbonneau (1983). *La coopérative d'habitation et la Loi*, tome 3, *La coopérative d'habitation et les règles régissant la construction*, Montréal, Éditions ECK.

FÉCHIM (1985). *Procès-verbal de l'assemblée générale annuelle de la Fédération des coopératives d'habitation de l'île de Montréal*, Montréal, Fédération des coopératives d'habitation de l'île de Montréal.

Fortin, A. (2003). « Rappel historique du logement communautaire », dans M.J. Bouchard et L. Proulx (dir.), *Le logement communautaire : développer en partenariat*, synthèse du colloque de l'ARUC-ÉS du 7 novembre 2003, Montréal, ARUC-ÉS, T-02-2004, p. 56-60.

Fortin, L. (sous la dir. de J. Godbout et F. Dansereau) (1980). *Les formes marginales de propriétés au Québec 2. Étude de la formule coopérative et de la propriété indivise ; études et documents*, Montréal, INRS-Urbanisation.

Gaudreault, A. (2004). «Une intervention municipale: le Programme d'acquisition de logements locatifs (PALL) de la Société d'habitation et de développement de Montréal (SHDM)», dans M.J. Bouchard et L. Proulx (dir.), *Le logement communautaire: développer en partenariat*, synthèse du colloque de l'ARUC-ÉS du 7 novembre 2003, Montréal, ARUC-ÉS, T-02-2004, p. 19-27.

Gouvernement du Québec (1976). *Habiter au Québec*, Gouvernement du Québec, Groupe de travail sur l'habitation, Éditeur officiel.

Gouvernement du Québec (1980). *Les conférences socio-économiques du Québec. L'entreprise coopérative dans le développement économique, état de la situation*, Québec, Gouvernement du Québec, Éditeur officiel.

Hebdo-Coop (plusieurs années).

Hulchanski, J.D. et G. Drover (1987). "Housing Subsidies in a Period of Restraint: The Canadian Experience", dans W. van Vliet (dir.), *Housing, Markets and Policies Under Fiscal Austerity*, Wesport (Connectitut), Greenwood Press Inc, p. 51-70.

Hurtubise, Y. (1976). *L'expérience Coop-Habitat*, Montréal, Université de Montréal, École de service social (mémoire pour la maîtrise).

Lebœuf, M.A. (sous la supervision de P. Prévost et R. Charbonneau) (1984). *Description de cinq groupes porteurs québécois de coopératives d'habitation*, Chicoutimi, Université du Québec à Chicoutimi, Laboratoire d'études économiques et régionales.

Lévesque, B. (2007). *Un siècle et demi d'économie sociale au Québec: plusieurs configurations en présence (1850-2007)*, Montréal et Québec, CRISES, ÉNAP et ARUC-ÉS, n° ET0703.

Martel, J.L. et D. Lévesque (1986-87). «L'organisation coopérative et les projets de restauration sociale des années 30 au Québec», *Coopératives et Développement*, vol. 18, n° 2, p. 15-38.

Mercier, A. (2006). *Les coopératives d'habitation au Québec. Édition 2005*, Gouvernement du Québec, MDEIE, Direction des coopératives.

Poulin, A. (sous la direction de M.C. Malo) (1984). *Pratiques de sélection des membres dans les coopératives d'habitation au Québec*, Montréal, Centre de gestion des coopératives, École des Hautes Études Commerciales, cahier S-84-6.

Prévost, P. (1983). *L'expérience Coop-Habitat, 1968-1972*, Chicoutimi, Université du Québec à Chicoutimi, document ronéotypé.

Quintin, C. et C. Denis (1980). «Les coopératives d'habitation: une solution d'avenir?», *Possibles*, vol. 4, n°s 3-4, p. 84-107.

Rose, A. (1980). *Canadian Housing Policies (1935-1980)*, Toronto, Butterworth.

RQOH. *Réseau québécois des OSBL d'habitation*. www.rqoh.com.

RQOH (2007). *Enquête auprès des OSBL d'habitation 1ʳᵉ partie: Grandes caractéristiques et services*, Montréal, Édition Le Réseau.

Rutigliano, C. (1971). *Les coopératives d'habitation*, Québec, Université Laval, Département de sociologie (mémoire pour la maîtrise).

SCHL (2001). *L'Initiative en matière de logement abordable*, Ottawa, Société canadienne d'hypothèques et de logement.

Sévigny, M. et D. Tremblay (1980). « Les coopératives d'habitation (locative) », *Vie ouvrière*, vol. 4.

SHQ (1992). *Une histoire en trois mouvements: 1967-1992*, Gouvernement du Québec, Société d'habitation du Québec.

SHQ. *Programmes et services*, Société d'habitation du Québec. www.habitation.gouv.qc.ca/, site consulté le 3 juillet 2007.

Théberge, G. et M. C. Malo (1988). *La faillite de la Fédération des magasins Coop*, Montréal, HEC, Centre de gestion des coopératives, n° 88-12.

Vaillancourt, Y. et M. N.-Ducharme (2000). *Le logement social, une composante importante des politiques sociales en reconfiguration: État de la situation au Québec*, Montréal, Cahier du LAREPPS, UQAM, n° 00-08.

Vienney, C. *et al.* (1985). *Analyse socio-économique comparée des coopératives d'habitation en France et au Québec*, Chicoutimi, GRIR/ Université du Québec à Chicoutimi.

CHAPITRE 2

Portrait de l'habitation communautaire au Québec

RICHARD MORIN, ANDRÉE RICHARD ET YSABELLE CUIERRIER

Introduction

L'habitation sociale est une notion qui «renvoie généralement à toutes les formes de logement subventionnées par l'État et destinées aux personnes qui ont des difficultés à se loger sur le marché privé» (Morin et Dansereau, 1990 : 1). On désigne sous ce vocable des projets d'habitation qui prévoient des mécanismes assurant l'accessibilité financière au logement pour les individus et les familles à faible et à modeste revenu. Par extension, ces projets incluent souvent, au-delà du seul accès au logement, l'offre de programmes adaptés à la situation particulière des individus ou des ménages rejoints, qu'elle résulte de besoins liés à leur condition physique, psychosociale ou familiale.

Dans cet univers se retrouve l'habitation communautaire, qui correspond aux logements, propriétés des coopératives et des organismes sans but lucratif (OSBL) d'habitation. En 2007, le nombre de ces logements dépassait 57 000. Souvent confondue avec l'habitation sociale dans son sens large, l'habitation communautaire n'est pas de propriété publique comme les projets administrés par les offices d'habitation (OH)[1]. Elle est, lorsqu'il s'agit

---

1. Les offices d'habitation ont été désignés jusqu'en 2002 sous le vocable d'offices municipaux d'habitation (OMH).

des coopératives et des OSBL, de propriété collective privée et demeure administrée par des acteurs issus de la société civile. Au-delà de l'offre d'un logement à des populations éprouvant des difficultés financières à se loger, à laquelle pourront se greffer des services de soutien communautaire, la préoccupation des organismes de l'habitation communautaire est de permettre la réalisation de projets qui se distinguent par l'implication et le contrôle des collectivités locales et des résidants dans la propriété et la gestion des immeubles.

Au Canada, et plus spécifiquement au Québec, le développement de ce secteur de l'habitation s'est fait sous l'impulsion de citoyens et citoyennes qui ont obtenu un soutien financier de l'État. À cet égard, la Société canadienne d'hypothèques et de logement (SCHL) et la Société d'habitation du Québec (SHQ) constituent les deux principaux bailleurs de fonds publics. Ainsi débuterons-nous ce portrait de l'habitation communautaire par une brève présentation de ces deux organismes publics, complétée par une description rapide du rôle joué par les municipalités et les offices d'habitation. Nous poursuivrons en présentant d'autres organismes d'appui aux coopératives et OSBL d'habitation, à savoir les groupes de ressources techniques (GRT), le Fonds québécois d'habitation communautaire (FQHC) et les sociétés acheteuses.

Le choix d'amorcer ce chapitre par la présentation des organismes d'appui vise essentiellement à faciliter la lecture de ce qui suivra, à savoir le portrait des OSBL et des coopératives d'habitation, puisque nous ferons alors fréquemment référence aux programmes gouvernementaux. Pour chacun de ces types d'habitation, nous dresserons un tableau des populations visées et du parc de logements de même que des caractéristiques des ménages qui en sont locataires. De plus, nous présenterons les structures organisationnelles locales, régionales et nationales propres à chacun de ces types. Nous terminerons enfin ce chapitre par un exposé des principaux enjeux auxquels l'habitation communautaire doit aujourd'hui faire face.

1. Les organismes d'appui aux coopératives et OSBL d'habitation

Le parc de logements communautaires s'est constitué avec l'appui d'organismes publics associés aux gouvernements fédéral et provincial ainsi qu'aux municipalités, de même qu'avec le concours d'autres organismes engagés dans le soutien technique, l'aide financière et l'acquisition de logements.

1.1 Les organismes publics

La Société canadienne d'hypothèques et de logement (SCHL) est l'agence du gouvernement fédéral responsable de l'habitation, et son pendant québécois est la Société d'habitation du Québec (SHQ). Les principaux programmes d'aide à l'habitation communautaire relèvent de ces deux organismes. À l'échelle locale, les municipalités et les offices d'habitation jouent également un rôle en matière de logement communautaire.

1.1.1 Société canadienne d'hypothèques et de logement (SCHL)

La Société canadienne d'hypothèques et de logement (SCHL), d'abord connue sous le nom de Société centrale d'hypothèques et de logement, a été fondée le 1er janvier 1946 et constitue l'organisme fédéral responsable de l'habitation. Sa mission consiste à «favoriser la qualité, l'abordabilité et le choix en matière d'habitation au Canada»[2]. Elle est intervenue dans toutes les sphères de l'habitation, tant privée, publique que communautaire. Ces interventions incluent le soutien financier, y compris l'assurance hypothécaire, et la recherche sur le logement.

La SCHL a, au cours des années 1970 et 1980, été très engagée dans le soutien financier au développement de l'habitation communautaire. Toutefois, suivant l'annonce faite par le gouvernement fédéral lors du Discours sur le budget du printemps 1993, elle s'est retirée le 1er janvier 1994 du financement de nouvelles initiatives en logement social, qu'il s'agisse d'unités d'habitation

---

2. www.cmhc-schl.gc.ca/fr/inso, consulté le 11 octobre 2007.

à loyer modique (HLM) ou de logements communautaires. Elle reste cependant toujours impliquée dans l'administration des conventions ratifiées, avant cette date, avec les organismes propriétaires des logements créés à l'aide de programmes fédéraux. Soulignons qu'à la suite de la signature de l'Entente sur le logement abordable en décembre 2001 le gouvernement fédéral a de nouveau contribué ponctuellement au financement de l'habitation communautaire dans le programme Logement abordable Québec (LAQ).

1.1.2 Société d'habitation du Québec (SHQ)

La Société d'habitation du Québec (SHQ) a été constituée en 1967. Elle est responsable de l'élaboration et de la mise en œuvre des politiques et des programmes d'habitation du gouvernement provincial. Elle intervient dans plusieurs secteurs de l'habitation dont le logement public et le logement communautaire. Le mandat de la SHQ est de :

> « proposer des orientations et avis au gouvernement concernant les besoins en habitat, [de] définir les paramètres des programmes d'aide au logement ainsi que [de] soutenir financièrement et techniquement ces programmes, [d']encourager l'initiative communautaire en habitation afin de favoriser une nouvelle approche de l'habitat et finalement [de] promouvoir le développement de l'industrie québécoise de l'habitation » (SHQ, 2002 : 4).

Il importe ici de signaler que, après le retrait de l'État fédéral du développement de l'habitation communautaire en 1994, seules deux provinces canadiennes ont continué d'appuyer de nouveaux projets de logements coopératifs et sans but lucratif, à savoir la Colombie-Britannique et le Québec (Dansereau, 2005).

Dans le cadre du volet social et communautaire, la SHQ est en charge de la supervision des HLM dont elle est le principal propriétaire[3] mais dont la gestion est confiée aux offices d'habi-

---

3. Sur un parc de 61 117 logements correspondant à 379 ensembles immobiliers, 42 000 logements (1 430 ensembles immobiliers) appartiennent à l'Immobilière SHQ alors que 19 117 logements (309 ensembles immobiliers) sont la propriété d'offices d'habitation.

tation. Elle assure un certain suivi des projets réalisés par les coopératives et OSBL d'habitation financés par le Programme intégré québécois (PIQ) et pour lesquels, en vertu d'une entente spécifique, la SHQ agit à titre de garant hypothécaire. De plus, elle administre les conventions des projets ayant bénéficié du Programme de logement sans but lucratif privé (PSBL-P) issu de l'Entente-cadre Canada-Québec sur l'habitation sociale intervenue en 1986. Elle a aussi été responsable, de 2002 à 2007, du programme Logement abordable Québec qui compte deux volets, un volet social et communautaire et un volet privé[4].

Soulignons que la SHQ offre, au moment où ces lignes sont écrites, le programme Allocation-logement[5] et le Programme de supplément au loyer, de même que le programme AccèsLogis[6] pour la réalisation de «logements sociaux, coopératifs et sans but lucratif». Dans ce dernier cas, elle assure également le suivi des conventions intervenues avec les organismes.

Enfin, au moyen du Programme d'aide aux organismes communautaires (PAOC), la SHQ subventionne des organismes communautaires engagés dans le domaine du logement, notamment les groupes de ressources techniques (GRT) qui appuient la réalisation de projets de logements communautaires et les regroupements régionaux et nationaux d'OSBL et de coopératives d'habitation.

1.1.3 Municipalités locales et offices d'habitation

Au Québec, les municipalités[7] ont participé au financement des logements publics (HLM) en assumant 10% des coûts d'exploitation.

---

4. L'aide financière consentie pour l'un et l'autre des volets de ce programme diffère. Dans le cas du volet privé, la subvention de capital correspond à 12 500 $ par unité de logement réalisée. Ce sont les municipalités qui assurent, sur leur territoire, l'administration du programme. Les logements ainsi réalisés sont soumis à un contrôle des augmentations de loyers par la SHQ pour une période minimale de 15 ans.

5. Le programme Allocation-logement est administré par Revenu Québec.

6. Depuis 2001, ce programme se nomme AccèsLogis Québec.

7. Les municipalités sont dans certains cas propriétaires des HLM (voir note 2).

La Ville de Montréal s'est aussi engagée dans le développement de l'habitation communautaire au tournant des années 1990 avec son Programme d'acquisition de logements locatifs (PALL), par l'inter-médiaire, notamment, d'une société paramunicipale, la Société d'habitation et de développement de Montréal (SHDM), qui a permis d'augmenter le parc de logements détenus par des coopé-ratives et surtout des OSBL d'habitation[8]. Par ailleurs, depuis le lancement des programmes AccèsLogis en 1997 et Logement abor-dable Québec au début des années 2000, les municipalités sur le territoire où sont implantés des projets financés par ces pro-grammes sont invitées à contribuer financièrement au développe-ment du logement communautaire en assumant, en totalité ou en partie, la «contribution du milieu» exigée en complément à l'aide gouvernementale et à la contribution des usagers (paiement des dépenses d'exploitation et d'un prêt hypothécaire sur la base des revenus de location).

Il faut souligner, à cet égard, qu'au moment de la réorganisation municipale liée à l'adoption des lois 124 et 170 au début des années 2000 le gouvernement du Québec obligeait certaines municipalités[9] à constituer des «fonds de développement du logement social» afin de soutenir le développement du logement communautaire.

Enfin, les municipalités qui font partie de la Communauté métropolitaine de Montréal (CMM) contribuent à un tel fonds de développement, et ce, qu'elles disposent ou non sur leur territoire de projets de logements publics et communautaires, permettant ainsi une répartition sur une base plus large de la facture liée à ce type de logement. Ce fonds finance quatre programmes : les habi-tations à loyer modique (HLM), le Programme de supplément au loyer (PSL), AccèsLogis Québec et Logement abordable Québec (volet social et communautaire). Il importe de signaler que les

8. En fait, la gestion des 3 000 logements acquis par la Ville de 1989 à 1994 a été cédée à des coopératives (25 %) et à des OSBL (75 %) (Dansereau, 2005).
9. À la suite de l'adoption de décrets en vertu de la loi 124, les municipalités de Matane, Rimouski, Saint-Jérôme, Saguenay, Sherbrooke, Trois-Rivières et Val-d'Or devaient constituer de tels fonds. Quant aux municipalités de Gatineau, Lévis, Longueuil, Montréal et Québec, ce sont les dispositions de la loi 170 qui les y contraignaient.

municipalités de la CMM qui soutiennent effectivement la réalisation de nouveaux projets sur leur territoire ou qui disposent d'unités HLM peuvent obtenir, auprès de la CMM, le remboursement de leur contribution de base pour ces projets.

Quant aux offices d'habitation, ce sont des OSBL créés en vertu de la *Loi sur la Société d'habitation du Québec* et dont la mission consiste principalement à gérer les logements publics (HLM) et le Programme de supplément au loyer sur leur territoire. Il y a près de 500 offices d'habitation au Québec. Le 30 avril 2002, l'adoption de la loi modifiant la *Loi sur la Société d'habitation du Québec* (projet de loi 49) a élargi la sphère d'activité des OH et des sociétés paramunicipales en leur permettant d'intervenir dans des formules de logements sociaux ou abordables autres que la formule HLM (Tanguay, 2002) et de réaliser ainsi des projets de logements dans le cadre de programmes gouvernementaux jusqu'alors réservés aux seuls OSBL et coopératives[10].

1.1.4 Programmes de financement public

Au cours des années, plusieurs programmes d'aide à la pierre et à la personne se sont succédé. Les programmes d'aide à la pierre soutiennent l'entretien, la réhabilitation et l'exploitation du parc de logements existants, de même que la construction de nouvelles unités d'habitation. Ces programmes ont permis la création de plus de 57 000 logements communautaires au Québec. Plusieurs de ces programmes ont pris fin. Toutefois, les logements qu'ils ont permis de réaliser restent. Le tableau 2.1 présente une synthèse de ces programmes.

Les programmes d'aide à la personne subventionnent directement les locataires par de l'aide à l'acquit du loyer (supplément au loyer ou aide assujettie au contrôle du revenu), liée le plus souvent à l'aide à la pierre, ou par de l'allocation-logement (disponible tant aux propriétaires qu'aux locataires, sous réserve de critères d'admissibilité).

---

10. Avant cette date, certains offices avaient constitué des OSBL distincts afin de réaliser des projets en bénéficiant des programmes PARCO et AccèsLogis Québec.

Les programmes qui ont appuyé le développement du loge-ment communautaire ont presque tous intégré des préoccupations concernant l'accessibilité au logement, à plus long terme, des ménages à faible revenu. C'est dans cette perspective que des mesures d'aide ciblées vers ces ménages ont été mises en place sous la forme de programmes d'aide à la personne[11] : allocation-logement, supplément au loyer et aide assujettie au contrôle du revenu.

L'allocation-logement est une aide financière pour les ménages à faible revenu vivant dans un logement communautaire ou dans un logement privé. Les ménages admissibles sont : 1) les personnes seules de 55 ans ou plus ; 2) les couples dont une des personnes est âgée de 55 ans ou plus ; 3) les familles ayant au moins un enfant à charge. Les propriétaires, les locataires et les chambreurs peu-vent recevoir l'allocation-logement. Cette aide financière tient compte du nombre de personnes dans le ménage, du type de ménage, des revenus et du loyer mensuel. En 2007, l'aide financière accordée pouvait atteindre quatre-vingts dollars (80 $) par mois.

Le supplément au loyer, tout comme l'allocation-logement, est destiné aux ménages à faible revenu. Les critères permettant d'ob-tenir une aide en vertu de ce programme sont plus restrictifs que ceux du programme Allocation-logement, mais permettent de bénéficier d'une aide financière plus généreuse. D'une part, le locataire doit répondre aux mêmes critères d'admissibilité que ceux qui s'appliquent aux logements de type HLM, ce qui signifie que son revenu ne doit pas excéder un certain plafond établi en fonction de la composition du ménage. D'autre part, le logement occupé doit faire l'objet d'une entente spécifique en vertu du Programme de supplément au loyer. Cela dit, ce logement peut être la propriété d'une coopérative, d'un OSBL, d'un office d'ha-bitation – à l'exclusion d'un logement situé dans un HLM – ou d'un propriétaire privé « conventionné ». L'aide consentie en vertu de ce programme permettra au locataire de voir son loyer fixé à

---

11. Tous ces programmes ne s'adressent pas exclusivement aux personnes qui occupent un logement public de type HLM ou un logement communautaire de type coopératif ou sans but lucratif.

25 % de son revenu brut mensuel (excluant certaines charges forfaitaires comme l'électricité et le chauffage), la différence jusqu'à concurrence d'un loyer plafond étant versée directement au propriétaire par la SHQ.

Quant à l'aide assujettie au contrôle du revenu (AACR)[12], il s'agit d'une aide accessible uniquement aux ménages à faible revenu vivant dans des projets coopératifs ou sans but lucratif réalisés avec le soutien financier du programme fédéral institué en vertu de l'article 56.1 de la *Loi nationale sur l'habitation* (LNH) et ayant permis la réalisation de projets entre 1979 et 1985. Il s'agit essentiellement d'une enveloppe variable dans le temps (le montant peut varier en fonction du taux hypothécaire) qui permet à la coopérative ou à l'OSBL de combler l'écart entre le coût du loyer du projet d'habitation et la capacité de payer des ménages, établie à vingt-cinq pour cent (25 %) de leur revenu brut mensuel[13].

Tableau 2.1

Programmes de soutien financier à l'habitation communautaire

Programme	Livreur	Aide financière	Organismes admissibles	Prêt hypothécaire	Forme de subvention
Article 15.0 de la LNH 1946-1978	SCHL	SCHL	Privé et OSBL	Prêt direct Taux hypothécaire approuvé par la SCHL	Prêt de la SCHL ne dépassant pas 95 % de la valeur d'emprunt du projet
Article 15.1 de la LNH pour les OSBL 1964-1978 Article 34.18 de la LNH pour les coopératives 1973-1978 (ou article 61[1])	SCHL	SCHL	OSBL et coopératives	Prêt direct Amortissement jusqu'à 50 ans	Mise de fonds de 10 % des coûts de réalisation nets assortie de remises gracieuses Subvention du taux d'intérêt à 8 %

12. L'aide assujettie au contrôle du revenu a parfois été désignée sous le nom d'«aide de second recours» ou d'«aide de dernier recours».

13. La baisse des taux d'intérêts hypothécaires et le recours par la SCHL au financement regroupé pour assurer le financement de ces projets a eu un impact à la baisse important sur les sommes disponibles pour l'aide aux ménages à plus faible revenu. Ainsi, dans certains cas, les organismes ont dû modifier à la hausse le pourcentage utilisé pour établir la capacité de payer des ménages.

Programme	Livreur	Aide financière	Organismes admissibles	Prêt hypothécaire	Forme de subvention
Article 56.1 de la LNH 1979-1985 (ou article 95[2])	SCHL	SCHL	OSBL et coopératives	Prêt conventionnel à paiements égaux Assurance hypothécaire de la SCHL Amortissement sur 35 ans	Aide à l'exploitation couvrant la période d'amortissement Subvention calculée à partir du coût de réalisation total reconnu Remboursement de la différence entre le taux du marché et 2 % Aide assujettie au contrôle du revenu pour les ménages à plus faible revenu
PIQ[3] 1984-1986	SHQ	SHQ	OSBL et coopératives	Prêt conventionnel à paiements égaux Amortissement sur 25 ans Prêt hypothécaire garanti par la SHQ[4]	Cumul de subventions de capital Logipop, de Loginove, de subventions de capital de Corvée-Habitation Supplément au loyer pour 40 % des ménages
Programme fédéral des coopératives d'habitation (PFCH[5]) 1986-1991 (ou article 95)	SCHL	SCHL	Coopératives	Prêt hypothécaire indexé Assurance hypothécaire de la SCHL	Aide à l'exploitation : montant déterminé la 1re année sur la base des revenus de loyers au taux du marché Par la suite, indexation annuelle au taux d'inflation moins 2 % Diminution possible de l'aide à compter de la 16e année, conditionnelle à un loyer à 85 % de celui du marché Supplément au loyer pour 40 % des ménages
PSBL-P[6] 1986-1993	SHQ	SCHL 75 % SHQ 25 %	OSBL et coopératives	Prêt hypothécaire conventionnel à paiements égaux Amortissement sur 35 ans ou sur 25 ans dans le cas des projets en milieu rural Prêt hypothécaire garanti par la SHQ	Subvention au déficit d'exploitation et loyer des résidants établis à 25 % des revenus bruts mensuels ou Rabattement du taux d'intérêt
PARCO[7] 1995-1996	SHQ	SHQ	OSBL et coopératives	Prêt conventionnel à paiements égaux Amortissement sur 25 ans Prêt hypothécaire garanti par la SHQ	Subvention de capital de 40 % à 50 % des coûts de réalisation Participation du milieu obligatoire de 22 % Supplément au loyer pour 20 % à 40 % des ménages

Programme	Livreur	Aide financière	Organismes admissibles	Prêt hypothécaire	Forme de subvention
AccèsLogis (ACL) 1997-…	SHQ	SHQ	Coopératives, OSBL, sociétés acheteuses et OH (à compter de 2002)	Prêt conventionnel à paiements égaux Amortissement sur 25 ans Refinancement lors de la 10e année et nouvel amortissement sur 25 ans Prêt hypothécaire garanti par la SHQ	Subvention de capital de 50 % des coûts de réalisation maximums admissibles[8] Contribution du milieu de base obligatoire de 15 % Supplément au loyer pour 20 % à 60 % des ménages
Logement abordable Québec – volet social et communautaire (LAQ) 2002-2007	SHQ	SCHL-SHQ	Coopératives, OSBL et OH	Prêt conventionnel à paiements égaux Amortissement sur 25 ans Refinancement lors de la 10e année et nouvel amortissement sur 25 ans Prêt hypothécaire garanti par la SHQ	Aide gouvernementale à 60 % des coûts maximums admissibles Contribution du milieu de base obligatoire de 15 % Solde sous forme de prêt hypothécaire assumé par les résidants sur la base d'un loyer établi entre 75 % et 95 % du loyer médian du marché

Source : Inspiré de Gaudreault et Bouchard (2002), annexe 1, et de Gouvernement du Québec (1984), tableau 67.

1. Depuis décembre 1989, en vertu des Lois révisées du Canada, ces programmes sont désignés en référence à l'article 61. La LNH est maintenant le chapitre N-11 des L.R.C. 1985.
2. Depuis décembre 1989, en vertu des Lois révisées du Canada, ce programme est désigné en référence à l'article 95. La LNH est maintenant le chapitre N-11 des L.R.C. 1985.
3. Programme intégré québécois.
4. La garantie hypothécaire de la SHQ n'a été applicable que pour les unités de la programmation de 1986.
5. Ce programme est souvent désigné par l'outil hypothécaire particulier utilisé pour son financement, soit le prêt hypothécaire indexé.
6. Programme de logement sans but lucratif privé.
7. Programme d'aide à la rénovation des coopératives et des OSBL d'habitation.
8. Ce pourcentage a varié au cours de l'évolution de ce programme.

1.2 Les Groupes de ressources techniques (GRT)

Les premiers groupes de ressources techniques (GRT) ou leur équivalent ont été créés dans la première moitié des années 1970 par des architectes, des avocats, des religieux et des intervenants socialement engagés afin d'appuyer des projets d'achat-rénovation de logements et de mise sur pied de coopératives d'habitation (Choko et Roy, 1998). En 1977, la SHQ mettait en place le programme Logipop qui visait d'abord à soutenir financièrement la mise en place et le fonctionnement, sur tout le territoire du Québec, d'un réseau de groupes de ressources techniques venant en aide aux locataires voulant prendre en charge leurs conditions de logement en réalisant des projets coopératifs ou sans but lucratif d'habitation. C'est ainsi qu'au cours des années 1980 les GRT se sont multipliés. C'est d'ailleurs dans ces années que les GRT se sont regroupés régionalement. En 1989, l'Association des groupes de ressources techniques du Québec (AGRTQ) est créée. L'AGRTQ rassemble aujourd'hui 24 GRT. Durant plus de trente années d'existence, les GRT ont participé à la réalisation d'au-delà de 30 000 logements communautaires sur l'ensemble du territoire du Québec.

Mission et services offerts

La mission des GRT est d'accompagner des groupes de citoyens voulant réaliser un projet de logement sous la forme de coopérative ou d'OSBL, et ce, dans toutes les étapes du projet. Les GRT offrent une gamme variée de services selon les besoins, tant pour le développement de projets que pour la gestion d'immeubles pour les organismes en difficulté (AGRTQ et CSMO, 2002b). Plus spécifiquement, les GRT offrent les services de base suivants : formation, coordination, organisation et soutien technique et administratif.

Le principal champ d'intervention des GRT est le logement communautaire, mais ils sont aussi impliqués dans des projets immobiliers comme ceux développés par les Centres de la petite enfance (CPE) ou destinés à loger des organismes communautaires et sans but lucratif. Dans ce cas, les services-conseils qu'ils offrent concernent des études de viabilité, la recherche de subventions et le montage financier.

Types de projets soutenus

Durant toute leur action, les GRT ont régi une variété de projets. Le tableau ci-dessous présente un bref sommaire de la répartition de plus de 30 000 logements soutenus par les GRT.

Un peu plus de la moitié de ces logements sont destinés aux familles et aux personnes seules, près des deux tiers sont localisés en milieu urbain et sont de nouvelles constructions. Les GRT sont impliqués dans la réalisation des projets pendant une période d'environ deux ans.

Tableau 2.2

Répartition des logements soutenus par les GRT (1976-2006)

Logements	
destinés aux :	
familles et personnes seules[1]	52 %
aînés	33 %
personnes ayant des besoins particuliers	15 %
Total	100 %
localisés en :	
milieu urbain[2]	63 %
région	37 %
Total	100 %
résultant de :	
nouvelles constructions	65 %
immeubles rénovés	25 %
immeubles recyclés	10 %
Total	100 %

Source : AGRTQ, 2006.

1. Excluant les aînés.
2. Grands centres urbains : Gatineau, Montréal et Québec.

Le tableau suivant indique la répartition des logements réalisés dans des projets soutenus par les GRT en fonction du type de gestionnaire (coopérative, OSBL et OH) et des programmes de financement public. Les GRT soutiennent d'abord, avec les programmes de financement offerts par le gouvernement fédéral (articles 15.1, 56.1, PFCH) et le PIQ financé par le gouvernement du Québec, beaucoup plus de logements qui sont la propriété de coopératives que de logements possédés par des OSBL. Un virage important s'amorce avec la signature de l'Entente-cadre Canada-Québec sur l'habitation sociale en 1986 et l'ouverture à la réalisation de projets pour des groupes ayant des « besoins spéciaux » (projets pour personnes âgées en perte d'autonomie, pour les populations nécessitant des services de soutien en plus d'un logement adéquat et accessible financièrement). Dès 1987, première année où de tels projets sont admissibles, la tendance commence à s'inverser et la part de logements réalisés par des OSBL d'habitation devient plus importante. Cette tendance se confirme nettement avec le programme AccèsLogis et le programme LAQ. Ce sont les programmes de l'article 56.1 et AccèsLogis qui contribuent aux plus grands nombres de projets et de logements soutenus par les GRT.

Tableau 2.3

Nombre de projets et de logements[1] soutenus par les GRT selon le type de gestionnaire et les programmes de financement, de 1976 à février 2005

Programmes	Coopérative		OSBL		OH		Total	
	Projets	Log.	Projets	Log.	Projets	Log.	Projets	Log.
Art. 34.18 ou 61 (1973-1979)	40	886					40	886
Art. 56.1 ou 95 (1979-1985)	288	5 173	36	791			324	5 964
AccèsLogis Phase 1 (1997-2002)	84	2 095	226	4 188			310	6 283
AccèsLogis Phase 2 (2002-...)	49	1 286	135	3 571	16	295	200	5 152
Autres	45	839	19	177			64	1 016
LAQ (2002-2005)	21	528	19	1 247	9	452	49	2 227
PIQ (1978-1996)	58	724	23	369			81	1 093
PARCO (1995-1996)	35	554	23	402			58	956
PFCH (1986-1992)	154	2 990					154	2 990
PSBL-P (1986-1993)	75	1 324	180	2 666			255	3 990
Total	849	16 399	661	13 411	25	747	1 535	30 557[2]

Source : ARGT, site consulté le 18 juillet 2007.

1. Peuvent inclure des chambres.
2. Total de 30 557 logements des 57 000 logements communautaires.

Mode de fonctionnement

Les GRT interviennent en partenariat avec différents organismes (coopératives, OSBL, OH, SHQ, municipalités, etc.) afin d'aider à la réalisation de projets de logements abordables ou communautaires. La majorité des GRT servent un territoire délimité.

Chaque GRT a son propre conseil d'administration qui peut être composé de représentants de coopératives et d'OSBL d'habitation, d'organismes du milieu ainsi que de bénévoles et de membres des équipes de travail (AGRTQ et CSMO, 2002b).

Mode de financement

Les GRT disposent de deux modes de financement : la subvention et les honoraires professionnels. La subvention gouvernementale provenant de la SHQ, de son Programme d'aide aux organismes communautaires (PAOC), compte en moyenne pour le tiers des revenus tandis que les honoraires pour services professionnels, établis selon un pourcentage du coût de réalisation des projets dont le barème est déterminé par la SHQ, en représentent les deux tiers.

1.3 Le Fonds québécois d'habitation communautaire (FQHC)

Le Fonds québécois d'habitation communautaire est un organisme à but non lucratif constitué le 10 septembre 1997 en vertu de la Partie III de la *Loi sur les compagnies*. Il a été mis sur pied à la suite du dépôt d'une demande visant la création d'un fonds d'habitation communautaire dans le cadre du Sommet sur l'économie et l'emploi de 1996.

Son conseil d'administration, composé de représentants des milieux municipal, financier, communautaire et gouvernemental, est associé étroitement à de nombreuses questions liées à la conception ainsi qu'à la livraison des programmes d'aide à la réalisation de logements sociaux et communautaires et il agit à titre de comité-conseil auprès des instances gouvernementales sur des dossiers liés à ces questions.

Mission

Le Fonds québécois d'habitation communautaire a pour mission de coordonner les efforts de tous les acteurs du secteur de l'habitation, soit les pouvoirs publics, les organismes du milieu et l'entreprise privée, afin de favoriser la réalisation et le maintien de logements communautaires de qualité à coût abordable (FQHC, 2007).

Le Fonds a participé, en partenariat avec la SHQ, à l'élaboration des orientations et des paramètres du programme AccèsLogis Québec. Au moment de la mise en œuvre du programme Logement abordable Québec – volet social et communautaire, la SHQ a sollicité des avis du Fonds.

Mode de fonctionnement

La composition du sociétariat du Fonds est prévue dans ses statuts constitutifs. C'est ainsi qu'il se compose de représentants des secteurs et des organismes suivants :

MILIEU COMMUNAUTAIRE

- deux (2) représentants de l'Association des groupes de ressources techniques du Québec (AGRTQ),
- deux (2) représentants de la Confédération québécoise des coopératives d'habitation (CQCH),
- deux (2) représentants du Front d'action populaire en réaménagement urbain (FRAPRU),
- deux (2) représentants du Réseau québécois des OSBL d'habitation (RQOH),
- un (1) représentant du Chantier de l'économie sociale,
- un (1) représentant de la Fédération des locataires d'habitations à loyer modique du Québec (FLHLMQ) ;

MILIEU MUNICIPAL

- un (1) représentant de la Fédération québécoise des municipalités (FQM),
- un (1) représentant du Regroupement des offices d'habitation du Québec (ROHQ),
- un (1) représentant de l'Union des municipalités du Québec (UMQ),
- un (1) représentant de la Ville de Montréal,
- un (1) représentant de la Ville de Québec ;

MILIEU FINANCIER

- un (1) représentant du Mouvement Desjardins;

MILIEU GOUVERNEMENTAL

- deux (2) représentants de la Société d'habitation du Québec;
- un (1) membre nommé par le ministre responsable de l'Habitation.

Le FQHC est aussi doté d'un comité exécutif composé de cinq administrateurs et d'un comité de coordination qui assume les fonctions de secrétaire de l'organisme. En fonction de ses besoins, le conseil d'administration constitue des comités de travail, notamment un comité sur les normes, un comité sur les projets avec services, et un comité sur l'utilisation des fonds. Le Fonds s'est également doté, à la fin de l'année 2007, d'un comité d'éthique et de déontologie et, en lien avec ses interventions dans le financement à la fois du développement de nouvelles unités et de la consolidation et du maintien du parc de logements existants, il a prévu la mise en place d'un comité d'analyse des projets.

Mode de financement

Depuis la création du Fonds québécois d'habitation communautaire, des mécanismes ont été inclus dans le cadre normatif des programmes d'aide à la réalisation de logements communautaires[14] afin d'assurer que les organismes – coopératives, OSBL et OH – qui en bénéficient contribuent au financement du Fonds et appuient ainsi le développement de nouveaux projets de logements communautaires au cours des prochaines années.

Dans le cas du PARCO, les organismes sont tenus de verser annuellement une contribution établie à 10 $ par logement par mois, et ce, pour la durée de la convention d'exploitation qui les lie à la SHQ. Cette contribution est indexée à compter de la

---

14. Les programmes visés sont les suivants: Programme achat-rénovation pour les coopératives et OSBL d'habitation, AccèsLogis et Logement abordable Québec – volet social et communautaire.

cinquième année d'exploitation du projet, mais ne pourra jamais excéder 15 $ par logement par mois. Lorsque l'ensemble des contributions aura atteint le maximum prévu, les revenus annuels de cette source pourraient s'établir à 203 000 $.

Dans le cas des projets ayant bénéficié des programmes AccèsLogis et Logement abordable Québec – volet social et communautaire, c'est à compter de 2008 que le Fonds doit progressivement recueillir les contributions prévues. En effet, pour ces deux programmes, une contribution équivalente au capital remboursé au cours des 10 premières années sera faite au Fonds au moment où l'organisme refinancera son projet (dixième année d'exploitation), sous réserve des dispositions prévues à la convention[15]. Les graphiques suivants présentent l'estimation des contributions maximales qui seront versées par chacun des programmes année après année et l'effet cumulatif des contributions d'ici 2017[16].

Les premières contributions versées au Fonds à compter de 2008 proviendront d'organismes ayant obtenu le soutien financier du programme AccèsLogis. Alors qu'elles ne seront que de 30 000 $ en 2008, elles seront portées à 3,6 M $ dès 2009, pour atteindre plus de 10,8 M $ annuellement à compter de 2013.

Quant aux contributions versées par des organismes ayant obtenu le soutien financier du programme Logement abordable Québec – volet social et communautaire, elles ne seront faites qu'à compter de 2013 et seront alors de l'ordre de 45 000 $. Dès l'année suivante, elles refléteront le rythme d'engagement rapide de ces projets puisque l'on estime que les sommes cumulées des années 2016 et 2017 pourraient atteindre 18,7 M $.

---

15. Les dispositions des conventions portant sur la contribution à un fonds d'habitation communautaire prévoient notamment que «le calcul de cette contribution sera établi par la Société en consultation avec l'Organisme après qu'elle aura inspecté ou fait inspecter l'ensemble immobilier afin de déterminer le coût des travaux essentiels à être réalisés par l'Organisme pour les cinq (5) prochaines années, après avoir vérifié l'état des réserves de remplacement et autres réserves à partir des deux derniers états financiers vérifiés et après avoir examiné l'ensemble de la situation financière de l'Organisme. Selon le cas, le montant reconnu par la Société à être versé au Fonds pourra être inférieur à celui indiqué à l'alinéa précédent.»

16. Selon les données disponibles.

Graphique 2.1

**Contributions potentielles de 2008 à 2017 (en millions de dollars)
AccèsLogis (ACL), Logement abordable Québec –
volet social et communautaire (LAQ)**

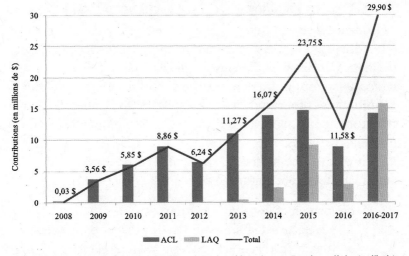

Source : Société d'habitation du Québec, données déposées au Fonds québécois d'habitation communautaire, juin 2006. Scénario I, taux de renouvellement à la 5e année – taux Desjardins moins 0,5 %.

Graphique 2.2

**Contributions cumulatives de 2008 à 2017 (en millions de dollars)
AccèsLogis, Logement abordable Québec –
volet social et communautaire**

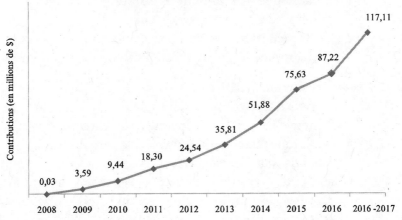

Source : Société d'habitation du Québec, données déposées au Fonds québécois d'habitation communautaire, juin 2006. Scénario I, taux de renouvellement à la 5e année – taux Desjardins moins 0,5 %.

Jusqu'en 2006, le Fonds a mis l'accent sur les activités liées à la concertation de l'ensemble des partenaires préoccupés par le développement et le maintien du parc de logements sociaux et communautaires.

Cependant, dès 2007 et en prévision de 2009, année au cours de laquelle les contributions provenant des organismes pourraient atteindre jusqu'à 3,6 M $, le Fonds a amorcé un processus qui lui permettra de disposer d'un ensemble d'éléments liés à sa gouvernance, à la gestion des contributions qui lui seront versées, à la définition des programmes d'aide qu'il rendra disponibles et à la structure administrative qu'il mettra en place pour réaliser ses nouvelles activités.

En regard des interventions que le Fonds privilégiera, les administrateurs ont statué, en mai 2007[17], sur:

1. des principes généraux relatifs:
    a. à la nature de l'intervention du Fonds – sans se substituer à l'intervention gouvernementale et en partenariat avec d'autres acteurs;
    b. à sa capitalisation – privilégiant des mécanismes qui visent à plus long terme le maintien de la capacité d'intervention du Fonds;
    c. aux créneaux d'intervention qu'il privilégiera – à la fois le développement de nouvelles unités et le maintien ou la consolidation du parc existant;
    d. à sa capacité d'intervention – en complément des sources de financement (publiques ou privées) existantes.

2. des orientations relatives:
    a. au type d'aide consentie en soutien au développement de nouvelles unités et au maintien ou à la consolidation du parc existant sans intervention visant le financement de toute forme d'aide à la personne;
    b. aux critères d'admissibilité pour les organismes désirant recevoir une aide financière du Fonds – OSBL ou

---

17. Compte rendu de la réunion du conseil d'administration du Fonds québécois d'habitation communautaire tenue le 3 mai 2007.

coopératives contribuant ou s'engageant à contribuer au Fonds;

c. à la conclusion d'ententes de partenariat pour accroître la capacité d'intervention du Fonds;

d. aux objectifs d'intervention tant pour le développement de nouvelles unités que pour le maintien ou la consolidation du parc immobilier existant.

1.4 Les sociétés acheteuses[18]

Les premières sociétés acheteuses ont été créées au milieu des années 1970. Plusieurs de ces sociétés ont été mises sur pied lors du boom immobilier des années 1980. Elles sont conçues, au départ, comme des outils de développement de coopératives mais, au fil du temps, elles travaillent aussi avec des OSBL. Elles ont permis d'acquérir des immeubles, souvent pour les soustraire au marché spéculatif, en attendant qu'une coopérative ou qu'un OSBL les rachètent avec l'aide de programmes gouvernementaux (Gaudreault, 2006). Cependant, il faut souligner que plusieurs sociétés acheteuses, qui étaient des outils de développement de nouvelles coopératives et de nouveaux OSBL d'habitation, sont devenues, au cours des années, des organismes qui assurent la propriété, la gestion et l'exploitation d'un grand nombre de logements destinés aux ménages à faible et à modeste revenu.

Malgré l'importance des sociétés acheteuses en ce qui concerne le logement communautaire, il n'y a pas, à notre connaissance, de répertoire permettant de déterminer le nombre de ces organismes au Québec et d'évaluer l'ampleur de leur parc résidentiel. C'est pourquoi cette section, contrairement aux précédentes, ne présente pas de données.

Mission

Les sociétés acheteuses sont des sociétés sans but lucratif. Elles interviennent pour le bénéfice de coopératives ou d'OSBL

---

18. Cette section repose essentiellement sur Gaudreault (2006).

d'habitation par l'acquisition et la gestion d'immeubles ou de terrains qu'elles visent à transférer aux coopératives ou OSBL.

Types de projets soutenus

Il y a deux principales formes d'intervention des sociétés acheteuses. La première est le pontage. Celui-ci consiste à acquérir un immeuble pour un groupe spécifique et à lui céder la propriété selon une entente préalable. Le pontage inclut un programme de formation et d'accompagnement du groupe impliqué. Parfois, les sociétés acheteuses rénovent les unités de logements avant de transférer le droit de propriété.

Le deuxième mode d'intervention consiste à acquérir des immeubles ou des terrains afin de constituer un parc de logements, de les administrer et, facultativement, de les céder à une coopérative ou à un OSBL. Toutefois, ici, aucune entente préalable avec un groupe n'existe avant l'acquisition par la société acheteuse. La constitution d'un parc immobilier est devenue le principal mode d'intervention des sociétés acheteuses, ce qui a entraîné la transformation de nombreuses sociétés acheteuses en OSBL propriétaires et gestionnaires d'un important parc de logements[19]. De plus, ce rôle de gestionnaire est amplifié quand des sociétés acheteuses se voient confier l'administration de logements par d'autres organismes comme des sociétés paramunicipales[20].

Mode de fonctionnement

À leur création, la majorité des sociétés acheteuses n'avaient aucun employé sauf dans le cas des sociétés de grande taille, mais le

---

19. Par exemple, Inter-loge, implanté dans le quartier Centre-Sud de Montréal et qui fête, en 2008, ses trente ans d'existence, a acheté depuis sa fondation 558 logements et en a cédé 264 à des coopératives ou des OSBL d'habitation, conservant ainsi la propriété de 294 logements, sans compter les 64 autres logements qu'il a fait construire (*Inter-loge Express*, vol. 14, n° 1, printemps 2008 : 2).

20. Par exemple, la Société d'habitation populaire de l'est de Montréal (SHAPEM) gère, en 2008, en plus des 650 logements qu'elle possède, un total de 750 logements à la suite de mandats qui lui ont été confiés par des tiers, à savoir la Société d'habitation et de développement de Montréal (SHDM) ainsi que des coopératives et des OSBL d'habitation, ce qui constitue un parc résidentiel total de 1 400 logements.

personnel demeurait cependant peu nombreux. Les sociétés acheteuses n'étaient pas toujours en mesure de payer des salaires sans
l'aide de dons ou de subventions gouvernementales. Si la société
acheteuse n'avait pas d'employé, elle mandatait un GRT pour
l'exécution des travaux.

Mode de financement

Les sociétés acheteuses ont besoin de fonds dès les premières
étapes de réalisation d'un projet. Avant d'atteindre l'autofinancement, les sociétés acheteuses dépendent de sources variées de
financement, tant publiques que non publiques. En ce qui concerne
le financement gouvernemental, elles sont admissibles aux mêmes
programmes de subvention que les coopératives et les OSBL
d'habitation. Quant au financement non public, il provient de
fondations, d'entreprises privées ou de communautés religieuses.
Il convient aussi de rappeler qu'il a existé, à Montréal, un Fonds
d'investissement social en habitation (FISHA) qui obtenait
des fonds d'investisseurs (sous forme de prêts hypothécaires)
et prêtait ses sommes à un taux plus élevé à des sociétés
acheteuses.

   Le portrait des principaux organismes d'appui à l'habitation
communautaire ayant été dressé, nous passons, dans les pages qui
suivent, à celui des deux formules de propriétés que ce type de
logement englobe, à savoir les organismes sans but lucratif (OSBL)
d'habitation et les coopératives d'habitation. Nous commençons
par les OSBL d'habitation puisque leur parc de logements était,
en 2007, plus important que celui des coopératives d'habitation.

2. Les OSBL d'habitation

Les OSBL d'habitation[21] sont des corporations constituées en
grande majorité en vertu de la Partie III de la *Loi sur les compagnies* du Québec (LRQ, chapitre C-38) et, pour certaines, de la

---

21. Les données que nous présentons dans cette section n'incluent pas les
6600 logements qui sont la propriété de sociétés paramunicipales ou de sociétés
paramunicipales ayant récemment acquis, comme la Société d'habitation et de
développement de Montréal (SHDM) en 2007, le statut d'OSBL.

Partie II de la *Loi sur les corporations canadiennes*. De ce fait, l'encadrement juridique de ces organismes s'avère moins contraignant que celui des coopératives d'habitation qui relèvent de la *Loi sur les coopératives* (LRQ, chapitre C-67.2). Les OSBL d'habitation possèdent et gèrent des logements principalement destinés à des populations qui éprouvent des difficultés particulières à se loger adéquatement : personnes âgées, individus aux prises avec des problèmes de toxicomanie ou de santé mentale, jeunes marginaux, personnes victimes de violence, ménages à faible revenu avec enfants, récents immigrants, etc. On ne connaît pas le nombre précis de personnes occupant un logement d'un OSBL, mais on peut estimer ce nombre entre 35 000 et 40 000, à partir des résultats de l'enquête du Réseau québécois des OSBL d'habitation (RQOH) menée en 2006[22].

Les OSBL d'habitation ont bénéficié pour la réalisation de leurs projets de l'aide d'institutions religieuses, d'organismes de charité, d'associations diverses de même que des différents programmes gouvernementaux d'aide au développement de l'habitation communautaire que nous venons d'évoquer.

La grande majorité des OSBL d'habitation se distinguent non seulement par la vulnérabilité de leurs locataires, mais aussi par le soutien communautaire qui leur est offert. En effet, sur la base d'une enquête réalisée en 2006 par le RQOH, on estime que 68 % des OSBL offrent ce soutien. Les principaux services visés par le soutien communautaire[23] sont des interventions liées à la gestion des conflits (58 %), à la sécurité (55 %), aux loisirs (49 %), aux interventions en situation de crise (48 %), à l'alimentation (43 %), à l'accueil et à l'accompagnement (43 %), à l'offre de repas communautaire (34 %) et au soutien à la participation (34 %).

Enfin, bien que les locataires des OSBL d'habitation ne soient pas collectivement propriétaires de leur logement et ne choisissent généralement pas les nouveaux arrivants comme dans les coopératives d'habitation, il n'en demeure pas moins qu'ils sont repré-

---

22. Nous y reviendrons plus loin.
23. Pour plus de précisions, voir RQOH, 2007d.

sentés[24] dans près de 70 % des conseils d'administration des organismes.

Nous présentons, dans les sections suivantes, un portrait des OSBL d'habitation en mettant en lumière les populations visées, le nombre et la taille de ces organismes, les caractéristiques des occupants de leur parc résidentiel, et les structures organisationnelles propres à ces organismes.

2.1 Populations ciblées et parc de logements

Le Réseau québécois des OSBL d'habitation a mené, en 2006, une enquête auprès de tous les OSBL d'habitation du Québec (RQOH, 2007). Trois cent quarante-quatre OSBL d'habitation ont répondu au questionnaire de cette enquête. Seules les réponses des OSBL offrant au moins un logement permanent ont été retenues, à savoir 305 questionnaires. Les autres OSBL fournissent des logements temporaire, d'urgence ou de transition. La plupart des données plus bas sont tirées de cette enquête.

Populations visées

Les OSBL d'habitation visent à combler les besoins en logement des ménages à revenu faible ou modeste et des personnes ayant des besoins spécifiques. Le tableau ci-dessous illustre la diversité des populations visées, mais révèle également que près de la moitié des logements des OSBL sont destinés aux personnes âgées.

Types de population en fonction des programmes

Le parc immobilier des OSBL a été constitué grâce notamment au soutien financier des programmes fédéraux de la SCHL et des programmes provinciaux de la SHQ. Il y a deux périodes dans la création des OSBL d'habitation : la première, de 1965 à 1986, parrainée par la SCHL, et la deuxième, de 1987 à 2007, sous les auspices de la SHQ. C'est le Programme de l'article 56.1 administré

---

24. En fonction du type de projets réalisés et de la clientèle servie, on notera la présence au sein des conseils d'administration de locataires ou de leurs représentants.

Tableau 2.4

Populations visées par les OSBL d'habitation, 2006

Missions selon les groupes cibles[1]	OSBL		Logements	
	Nombre	%	Nombre	%
Personnes âgées	362	45,4%	16 213	51,9%
Familles/non spécialisé	110	13,8%	5 733	18,4%
Santé mentale	71	8,9%	1 218	3,9%
Personnes handicapées	53	6,6%	1 051	3,4%
Personnes seules et vulnérables	49	6,1%	1 525	4,9%
Jeunes	29	3,6%	406	1,3%
Femmes	40	5,0%	515	1,7%
Mixte	28	3,5%	1 075	3,4%
Autochtones	12	1,5%	1 008	3,2%
Toxicomanie	12	1,5%	176	0,6%
Autre	32	4,0%	2 290	7,3%
Total	798	100%	31 210	100%

Source: Ducharme et Dumais, 2007: 15.

1. Non mutuellement exclusifs et selon l'auto-proclamation des répondants.

Tableau 2.5

Nombre d'OSBL d'habitation et de logements correspondants selon les principaux programmes, 2006

Programmes	OSBL		Logements	
	Nombre	%	Nombre	%
Article 56.1 ou 95	239	30%	10 441	33%
PSBL-P	214	27%	5 020	16%
AccèsLogis	208	26%	4 712	15%
Articles 15.0 et 15.1 ou 61	28	4%	3 016	10%
Logement abordable Québec (LAQ)	10	1%	855	3%
Programme intégré québécois (PIQ)	15	2%	439	1%
PARCO	26	3%	464	1%
Autre (milieux, fonds privés)	14	2%	1 419	5%
Non déterminé	44	5%	5 000	16%
Total	798	100%	31 366	100%

Source: RQOH, 2007a: 9.

par la SCHL qui a permis la réalisation du plus grand nombre de logements d'OSBL, suivi par le PSBL-P et AccèsLogis, administrés par la SHQ. Toutefois, le nombre de logements réalisés avec ce dernier programme devrait, en 2008, dépasser le nombre de logements réalisés avec l'aide du PSBL-P. Il importe de souligner que les deux tiers des logements réalisés grâce à Accès Logis de la SHQ, démarré en 1997, sont propriété des OSBL d'habitation.

Nombre et taille des OSBL

Il y a plus de 800 OSBL d'habitation au Québec, totalisant 31 500 unités de logements. De ce nombre, 29 500 sont des logements permanents et 2 000 sont des logements transitoires[25]. Les OSBL administrent quelque 1 200 projets[26]. Soixante-dix-huit pour cent des OSBL ne comptent qu'un seul projet. La taille moyenne des projets est de 36 unités de logements (RQOH, 2007a).

Tableau 2.6

Taille des projets des OSBL d'habitation, 2006

Nombre de logements	%
1 à 9 unités	26
10 à 30 unités	49
31 à 60 unités	14
61 à 100 unités	5
100 unités et plus	3
Non disponible	3
Total	100

Répartition des OSBL et des logements correspondants par région administrative

Il y a des OSBL d'habitation dans 309 municipalités et dans chaque région administrative du Québec. La composition des OSBL varie selon la région administrative. En effet, dans le tableau

---

25. « Les logements transitoires s'adressent à des personnes ayant besoin de soutien dans une période de transition (santé mentale, femmes en difficulté, personnes itinérantes, convalescents, etc.) » (Ducharme et Dumais, 2007 : 9).

26. Il y a 392 projets totalisant environ 2 000 logements destinés à la population autochtone vivant hors de la réserve gérés par l'OSBL Habitat Métis du Nord. Les projets de cet OSBL sont principalement des maisons familiales de moins de quatre unités de logements.

ci-dessous, nous pouvons constater que le nombre moyen de logements par OSBL diffère beaucoup, passant de 19,8 logements dans le Bas-Saint-Laurent à 65,9 logements à Montréal. D'ailleurs, Montréal regroupe 23 % des OSBL, mais 37,5 % des logements de ce type.

Tableau 2.7

OSBL d'habitation par région administrative, 2006

	OSBL		Logements		Nombre moyen de logement
Région	Nombre	%	Nombre	%	
01 Bas-Saint-Laurent	67	8	1 324	4,2	19,8
02 Saguenay–Lac-Saint-Jean	46	6	1 146	3,6	24,9
03 Capitale-Nationale	89	11	3 459	10,9	38,9
04 Mauricie	26	3	1 167	3,7	44,9
05 Estrie	18	2	777	2,5	43,2
06 Montréal	180	23	11 858	37,5	65,9
07 Outaouais	41	5	1 819	5,8	44,4
08 Abitibi-Témiscamingue	28	4	921	2,9	32,9
09 Côte-Nord	16	2	473	1,5	29,6
10 Gaspésie–Îles-de-la-Madeleine	36	5	853	2,7	23,7
11 Chaudière-Appalaches	50	6	975	3,1	19,5
12 Laval	31	4	1 432	4,5	46,2
13 Lanaudière	28	4	876	2,8	31,3
14 Laurentides	34	4	1 515	4,8	44,6
15 Montérégie	90	11	2 627	8,3	29,2
16 Centre-du-Québec	14	2	343	1,1	24,5
Total	794	100 %	31 565	100 %	39,6

Source : Ducharme et Dumais, 2007 : 13.

2.2 Caractéristiques des occupants

L'enquête du RQOH, menée en 2006, révèle que les occupants des OSBL sont, en très grande partie, des personnes seules, de sexe féminin, relativement âgées et disposant d'un faible revenu, ce qui n'est pas surprenant étant donné les types de populations ciblées.

Types de ménage

La très grande majorité des ménages vivant dans les OSBL d'habitation sont formés d'une seule personne, dans une proportion estimée à au moins 75 % (RQOH, 2007c), alors que les personnes seules représentent 31 % de l'ensemble des ménages au Québec en 2006 (selon des données de Statistique Canada). Plus de la majorité (63 %) des résidants des OSBL d'habitation sont des femmes, ce qui s'explique par le fait qu'une portion importante des logements d'OSBL sont occupés par des personnes âgées et que l'espérance de vie des femmes est plus grande que celle des hommes.

Âge

Les résidants des OSBL sont relativement âgés. En effet, 67 % d'entre eux ont 56 ans et plus, alors que, selon le recensement de 2006, 27 % de la population du Québec est âgée de 55 ans et plus. Il importe de se rappeler que 52 % des logements d'OSBL ont pour

Tableau 2.8

Répartition des locataires des OSBL d'habitation selon l'âge et le type de population visée, 2006

Âges des locataires Groupes cibles[1]	Moins de 19 ans	19 à 35 ans	36 à 55 ans	56 à 75 ans	76 ans et plus
Personnes âgées	0 %	1 %	5 %	38 %	56 %
Personnes seules	3 %	11 %	49 %	30 %	9 %
Santé mentale	2 %	27 %	58 %	15 %	1 %
Pers. handicapées	1 %	30 %	53 %	15 %	1 %
Jeunes	40 %	60 %	0 %	0 %	0 %
Femmes	19 %	37 %	18 %	25 %	0 %
Autochtones	0 %	0 %	70 %	30 %	0 %
Mixte	3 %	30 %	38 %	26 %	4 %
Familles	5 %	24 %	46 %	22 %	5 %
Autres	5 %	45 %	30 %	20 %	0 %
Population totale	25 %	11 %	21 %	31 %	36 %

Source : RQOH, 2007c : 4.

1. Bien que les OSBL d'habitation s'adressent à des populations particulières, il est possible d'avoir un type de population autre que celle ciblée : par exemple, il y a 6 % des résidents d'OSBL pour personnes âgées qui ont moins de 55 ans.

groupe cible les personnes âgées. Il est donc logique que l'âge moyen soit élevé, 94 % des locataires occupant un logement destiné à une personne ayant 56 ans et plus. De plus, les gens de ce groupe d'âge sont aussi très présents dans les OSBL d'habitation destinés à des personnes seules (39 %), à des femmes (25 %), à des autochtones (30 %), à des populations mixtes (30 %) et à des familles (27 %).

Revenus

Les résidants vivant dans les logements d'OSBL disposent de faibles revenus : 85 % d'entre eux ont un revenu annuel inférieur à 20 000 $. Les sources de revenu sont : le travail, les régimes de retraite, les rentes, les programmes d'assurance (CSST, assurances collectives) et l'aide sociale. Le graphique 2.3 démontre bien que les occupants des logements d'OSBL ont des revenus nettement inférieurs à ceux de la population du Québec.

Certains groupes cibles ont un revenu particulièrement faible, de moins de 10 000 $ (tableau 2.9) : on y retrouve notamment les personnes seules et vulnérables, celles ayant des problèmes de

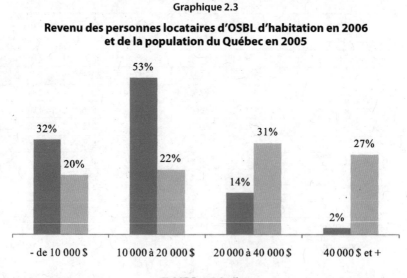

Graphique 2.3

**Revenu des personnes locataires d'OSBL d'habitation en 2006
et de la population du Québec en 2005**

Source : RQOH, 2007c : 7 ; recensement 2006 de Statistique Canada.

santé mentale, les personnes handicapées, les femmes et les autochtones. La majorité des OSBL d'habitation qui ciblent ces groupes offrent des unités pour les personnes éligibles à une aide à la personne. Environ 40 % des ménages résidant dans des logements appartenant à des OSBL reçoivent une telle aide.

Tableau 2.9

Répartition des locataires des OSBL d'habitation selon leur revenu et le groupe cible, 2006

Groupes cibles	10 000 $ et moins	10 001 à 20 000 $	20 001 à 35 000 $	35 001 $ et plus
Personnes âgées	14,0 %	67,1 %	16,3 %	2,0 %
Personnes seules et vulnérables	78,9 %	21,1 %	0,0 %	0,0 %
Santé mentale	78,5 %	21,4 %	0,1 %	0,0 %
Personnes handicapées	68,5 %	26,5 %	5,0 %	0,0 %
Jeunes	33,3 %	40,0 %	26,7 %	0,0 %
Femmes	71,6 %	16,3 %	6,7 %	2,0 %
Autochtones	75,0 %	25,0 %	0,0 %	0,0 %
Mixte	34,0 %	38,5 %	7,4 %	14,3 %
Familles et non spécialisé	31,9 %	44,6 %	19,3 %	5,0 %
Autres	50,0 %	0,0 %	50,0 %	0,0 %
Population totale des OSBL	30,1 %	53,2 %	13,8 %	2,6 %

Source : Ducharme et Dumais, 2007 : 32.

2.3 Structures organisationnelles

Les OSBL représentent une forme de propriété collective gérée par des individus issus de la société civile et qui laisse place à la participation de résidants et d'employés. Il existe sept (7) fédérations qui regroupent des OSBL sur une base régionale et un organisme qui chapeaute les OSBL d'habitation et leurs fédérations à l'échelle du Québec.

Les structures locales

Les OSBL d'habitation sont pourvus de conseils d'administration. Les administrateurs sont généralement des locataires, des représentants d'organismes locaux, des employés ou des citoyens. Les deux tiers (67 %) des OSBL ont des locataires siégeant au conseil d'administration (RQOH, 2007b). Les programmes AccèsLogis Québec, PARCO et PSBL-P de la SHQ exigent, dans les conditions d'admissibilité, la présence d'au moins trois locataires ou représentants de locataires par conseil. Les OSBL subventionnés par la SCHL ont aussi une forte présence de locataires (72 %) sur les conseils d'administration, bien que cela ne constitue pas une obligation aux termes des normes des programmes. Soixante-six pour cent des conseils d'administration comptent des citoyens engagés et 38 % des représentants d'organismes.

Il faut également noter la présence de structures qui favorisent la participation des résidants puisque l'on dénombre la présence de comités dans 62,4 % des OSBL. Les comités les plus fréquemment recensés sont les comités de loisirs et ceux de locataires.

Tableau 2.10

Présence des comités dans les OSBL d'habitation, 2006

Type de comité	Nombre d'OSBL	% d'OSBL
Comité de locataires	77	23,3 %
Comité de loisirs	80	24,2 %
Autres comités	49	14,8 %
Aucun comité	124	37,6 %
Total	330	100 %
Information non disponible	24	

Source : RQOH, 2007b : 7.

Les fédérations régionales

Il y a sept (7) fédérations régionales[27], et leur création est récente. La plus ancienne, implantée sur le territoire de Montréal, date de

---

27. Au début de 2008, les fédérations suivantes sont légalement constituées : Regroupement des OSBL d'habitation et d'hébergement avec support communautaire en Outaouais (ROHSCO), Fédération régionale des OSBL d'habitation du Saguenay–Lac-Saint-Jean, Chibougamau-Chapais et Côte-Nord (FROH-SLSJCCCN), Fédération des OSBL d'habitation de Montréal (FOHM), Fédération régionale des OSBL en habitation de Québec, Chaudière-Appalaches (FROHQC), Fédération des OSBL d'habitation Roussillon, Jardins du Québec, Suroît (FOHRJS), Fédération régionale des organismes sans but lucratif d'habitation de la Mauricie / Centre-du-Québec (FROHMCQ), Fédération lavalloise des OSBL d'habitation (FLOH).

1987. Par ailleurs, cinq nouvelles fédérations ont été créées au moment même ou à la suite de la mise sur pied du Réseau québécois des OSBL d'habitation en 2000. La mission des fédérations est d'être le porte-parole du mouvement, de représenter les OSBL auprès des gouvernements, des municipalités, des institutions concernées et de la population, ainsi que de promouvoir le développement des OSBL d'habitation.

Les principaux objectifs poursuivis par les fédérations consistent à[28] :

- développer des mécanismes d'entraide et de soutien entre les OSBL d'habitation ;
- développer des services pour faciliter la gestion ;
- favoriser la circulation de l'information, organiser des rencontres et provoquer des échanges entre les différentes personnes et les groupes intéressés aux pratiques de l'habitation à but non lucratif ;
- favoriser la mise sur pied de nouveaux OSBL d'habitation ;
- favoriser la mobilisation des intervenants intéressés aux questions du logement social et aux pratiques des OSBL ;
- fournir du logement à loyer modique aux personnes défavorisées ;
- promouvoir la qualité des services offerts par les organismes sans but lucratif ;
- regrouper les OSBL d'habitation.

De plus, les fédérations offrent une gamme de services à leurs membres. Les services varient d'une fédération à l'autre. Voici ceux qui sont les plus répandus[29] :

- achats regroupés de biens et de services ;
- entretien et gestion d'immeubles ;
- formation ;

---

28. Les objectifs mentionnés sont une compilation faite à partir du site www.rqoh.com, consulté le 21 septembre 2007.
29. Les services mentionnés sont une compilation faite à partir du site www.rqoh.com, consulté le 21 septembre 2007

- information et communication ;
- représentation et lobbying ;
- service d'assurance habitation ;
- service de gestion administrative et financière ;
- service de gestion sociale ;
- soutien organisationnel.

Les OSBL membres de fédérations régionales payent des frais d'adhésion annuels. Les fédérations offrent à leurs membres des programmes d'achat de biens ou de services regroupés[30], lesquels sont conditionnels au sociétariat fédératif.

Par ailleurs, au chapitre de sa gouvernance, chaque fédération est dotée d'un conseil d'administration élu par ses membres. Selon les fédérations, le nombre d'administrateurs varie de cinq (5) à neuf (9).

Le Réseau québécois des OSBL d'habitation

Le regroupement des fédérations d'OSBL d'habitation sous une même organisation, à savoir le Réseau québécois des OSBL d'habitation (RQOH)[31], est récent. Le RQOH a été constitué en septembre 2000. La création du Réseau a aussi favorisé, comme nous venons de le mentionner, la création de fédérations régionales. Actuellement, le RQOH est composé de sept (7) fédérations régionales. Il a un conseil d'administration qui compte neuf (9) représentants en provenance des fédérations et un (1) représentant des régions non fédérées.

La mission du RQOH est d'être le porte-parole des OSBL et de leurs résidants, de mobiliser ses membres et partenaires, de promouvoir la qualité des services et d'influencer les politiques gouvernementales. Ainsi, le RQOH favorise le développement des

---

30. Les principaux programmes offerts aux OSBL d'habitation sont les suivants : programme d'avantages financiers « J'ai un plan » et programme d'assurances habitation Sékoia.

31. Les organismes suivants ont précédé la constitution du RQOH, à savoir l'Association nationale des OSBL d'habitation pour personnes âgées (ANOHPA), la Fédération des OSBL d'habitation de Montréal (FOHM) et la Fédération régionale des OSBL en habitation de Québec, Chaudière-Appalaches (FROHQC).

OSBL. À cette fin, le RQOH a adopté une douzaine d'objectifs lors de sa création. Les principaux objectifs[32] consistent à :

- analyser, critiquer, inspirer les politiques, les législations gouvernementales et les interventions administratives relatives au logement social ;
- contribuer à la consolidation, à la création et au développement d'organismes sans but lucratif en habitation ;
- diffuser toute information se rapportant au logement social ;
- favoriser et organiser des rencontres et des échanges entre les divers organismes sans but lucratif en habitation du Québec ;
- favoriser la mise en place de regroupements volontaires et de fédérations régionales d'OSBL ;
- promouvoir la qualité des services offerts par les organismes d'habitation sans but lucratif ;
- organiser et tenir des activités de formation et d'éducation.

Le RQOH est impliqué dans plusieurs tables de concertation et est représenté au sein de plusieurs organismes œuvrant dans le logement communautaire et l'économie sociale tels que le Fonds québécois d'habitation communautaire (FQHC) et le Chantier d'économie sociale. Plus récemment, le RQOH a développé des services dont un programme d'assurance et un réseau d'achat. Il a coordonné des sessions de formation dans l'ensemble du Québec.

3. Les coopératives d'habitation

Près de 50 000 personnes vivent dans des coopératives d'habitation. La première coopérative a été créée en 1937 (Mercier, 2006). Au départ, les coopératives avaient pour objectif de faciliter l'accès à la propriété individuelle par la construction de maisons neuves. Par la suite, la formule prédominante a été la coopérative locative à possession continue (Mercier, 2006) sans but lucratif. Elle a pu

---

32. Source : www.rqoh.com, site consulté le 1er février 2008.

initialement se développer grâce à des programmes fédéraux. L'âge d'or de la réalisation des coopératives d'habitation locative est la fin des années 1970 et le début des années 1980.

Une coopérative d'habitation est, avant tout, constituée de membres qui se rassemblent autour d'un projet commun, celui de se donner accès à des logements de qualité et accessibles financiè-rement. De ce fait, la coopérative comprend un immeuble ou un ensemble d'immeubles de dimension variable, neuf ou rénové. C'est la coopérative qui est propriétaire des unités de logements. Les résidants sont donc à la fois locataires de leur logement et, par leur adhésion à la coopérative, collectivement propriétaires de l'im-meuble ou de l'ensemble d'immeubles. La propriété collective ne demande généralement pas une mise de fonds individuelle des ménages, bien que les membres des coopératives aient à investir un montant minimal sous forme de parts de qualification, le plus souvent constitué essentiellement de parts sociales. Les coopéra-tives sont gérées et contrôlées par leurs membres. Depuis quelques années, plusieurs coopératives confient des mandats à des res-sources externes telles que leur fédération ou les GRT pour assumer certaines tâches liées à la gestion de leur projet (Mercier, 2006).

3.1 Populations ciblées et parc de logements

La Direction des coopératives du ministère du Développement économique, de l'Innovation et de l'Exportation (MDEIE) a dressé, en 2005, un portrait des coopératives d'habitation au Québec (Mercier, 2006). De plus, la Confédération québécoise des coopé-ratives d'habitation (CQCH) a mené, en 2007, une enquête auprès de 3 041 résidants de coopératives d'habitation (CQCH, 2008). Les données présentées dans cette section sont tirées de ces deux études.

Populations visées

L'objectif premier des coopératives est d'offrir du logement de qualité tout en privilégiant une mixité socioéconomique des ménages. Ce sont les membres des coopératives, le plus souvent par l'entremise d'un comité de sélection, qui proposent au conseil d'administration l'admission de nouveaux membres. Une fois ceux-ci admis, la coopérative leur offre un logement en location. Toutefois, dans le cas des unités visées par le Programme de supplément au loyer, les ménages doivent avoir un revenu qui correspond aux critères d'admissibilité qui s'appliquent aux habitations à loyer modique (HLM). Dans le cas des projets réalisés en bénéficiant de l'aide fédérale (article 56.1 de la LNH), un minimum de 15 % des ménages doivent avoir un revenu les rendant admissibles à l'aide assujettie au contrôle du revenu (Mercier, 2006). Sur la base de l'enquête de la CQCH réalisée en 2007, on estime que près de 35 % des ménages vivant en coopératives bénéficient d'une aide au loyer.

Tout comme les OSBL d'habitation, les coopératives accueillent une population diversifiée. Certaines coopératives visent à répondre aux besoins de groupes particuliers. Toutefois, la majorité d'entre elles n'ont pas de vocation spécifique au sens où on l'entend pour les OSBL d'habitation, et ce, bien que plusieurs coopératives aient des unités de logements adaptées pour les personnes handicapées. Cela dit, certaines coopératives ont été créées, à l'origine, pour des groupes cibles spécifiques, tels que les personnes âgées, les familles monoparentales et les immigrants.

Types de population en fonction des différents programmes

Les ménages formés d'une seule personne constituent le groupe le plus présent dans tous les programmes de financement (de 41 % à 71 %) sauf celui de Logement abordable Québec (29 %). Le pourcentage de ces ménages est particulièrement élevé dans les logements ayant bénéficié du programme fédéral – article 56.1 – et des programmes québécois – PIQ, AccèsLogis Québec et PARCO. Les familles monoparentales sont le deuxième groupe en importance, suivi de près par les couples sans enfant.

Près des trois quarts des logements réalisés par des coopératives d'habitation ont bénéficié de l'aide du gouvernement fédéral lorsqu'il était très engagé dans le développement du logement communautaire au cours des années 1970 et 1980.

Tableau 2.11

**Type de ménages dans les coopératives d'habitation
en fonction des programmes de financement, 2007**

Programme	Personne seule	Couple sans enfant	Couple avec enfant	Famille mono-parentale	Autre	Total
Coop-Habitat	42 %	17 %	8 %	17 %	16 %	100 %
Art. 34.18 ou 61	43 %	8 %	20 %	25 %	4 %	100 %
Art. 56.1 ou 95	47 %	15 %	14 %	16 %	8 %	100 %
PFCH (PHI)	40 %	14 %	15 %	24 %	7 %	100 %
PSBL-P	41 %	16 %	12 %	19 %	12 %	100 %
PARCO	41 %	9 %	14 %	22 %	14 %	100 %
AccèsLogis	53 %	15 %	11 %	12 %	9 %	100 %
PIQ	29 %	28 %	9 %	17 %	17 %	100 %
Logement abordable	71 %	29 %	0 %	0 %	0 %	100 %
Hors programme	63 %	12 %	13 %	12 %	0 %	100 %
Mixte	51 %	13 %	13 %	17 %	6 %	100 %
Autres	24 %	11 %	41 %	24 %	0 %	100 %

Source : CQCH, 2008.

Tableau 2.12

**Répartition des logements appartenant à des coopératives d'habitation
selon le palier gouvernemental impliqué, 31 décembre 2005**

Niveau gouvernemental	Logements	
	Nombre	%
Gouvernement fédéral	18 590	72,6 %
Gouvernement québécois	4 571	17,9 %
Ententes fédéral-provincial (PSBL-P, LAQ)	1 750	6,8 %
Ville de Montréal	623	2,4 %
Aucun programme	59	0,2 %
Total	25 593	100 %

Source : Mercier, 2006.

Nombre et taille des coopératives

Au 31 décembre 2005, il y avait 1 171 coopératives d'habitation actives totalisant 25 593 unités de logements. Le nombre moyen de logements par coopérative était de 21,9. Toutefois, la majorité des coopératives possédaient 17 logements ou moins. Les projets

Tableau 2.13

Nombre de coopératives d'habitation et de logements correspondants, selon la taille, 31 décembre 2005

Taille des coopératives	Coopératives		Logements		Nombre moyen de logement
	Nombre	*%*	*Nombre*	*%*	
10 logements et moins	245	20,9%	1731	6,8%	7,1
11 à 20 logements	449	38,4%	6637	25,9%	14,8
21 à 30 logements	287	24,5%	7103	27,8%	24,7
31 logements et plus	190	16,2%	10122	39,5%	53,3
Total	1171	100%	25593	100%	21,9

Source : Mercier, 2006.

récents regroupent en moyenne 33,1 logements. La taille des coopératives varie de moins de 10 logements à 220 logements.

Répartition des coopératives et des logements correspondants par région administrative

Les coopératives d'habitation et leurs logements sont majoritairement localisés dans les régions fortement urbanisées, à savoir

Tableau 2.14

Nombre de coopératives d'habitation en activité par région administrative, 31 décembre 2005

Région	Coopératives		Logements		Nombre moyen de logement
	Nombre	*%*	*Nombre*	*%*	
01 Bas-Saint-Laurent	22	1,9	254	1,0	11,5
02 Saguenay–Lac-Saint-Jean	62	5,3	1354	5,3	21,8
03 Capitale-Nationale	175	14,9	3927	15,3	22,4
04 Mauricie	21	1,8	295	1,2	14,0
05 Estrie	44	3,8	1256	4,9	28,5
06 Montréal	523	44,7	11860	46,3	22,7
07 Outaouais	36	3,1	1063	4,2	29,5
08 Abitibi-Témiscamingue	10	0,9	253	1,0	25,3
09 Côte-Nord	13	1,1	223	0,9	17,2
10 Gaspésie–Îles-de-la-Madeleine	12	1,0	86	0,3	7,2
11 Chaudière-Appalaches	35	3,0	649	2,5	18,5
12 Laval	26	2,2	665	2,6	25,6
13 Lanaudière	22	1,9	357	1,4	16,2
14 Laurentides	8	0,7	217	0,8	27,1
15 Montérégie	135	11,5	2676	10,5	19,8
16 Centre-du-Québec	27	2,3	458	1,8	17,0
Total	1171	100 %	25593	100 %	21,9

Source : Mercier, 2006.

Montréal, Québec, Laval et la Montérégie. En effet, nous y retrouvons respectivement 73,3 % des coopératives et 74,7 % des logements coopératifs. Ces pourcentages y sont plus élevés que ceux des OSBL d'habitation (49 %) et de leurs logements (61,2 %), proportionnellement plus présents dans les régions moins urbanisées.

3.2 Caractéristiques des occupants

Il se dégage de l'enquête de la CQCH de 2007 que le profil des ménages des coopératives d'habitation est plus varié que celui des locataires des OSBL d'habitation. Néanmoins, on y retrouve aussi une forte proportion de personnes seules, de personnes âgées et de ménages à faible revenu.

Types de ménage

Selon l'enquête de la CQCH de 2007, les ménages d'une seule personne représentent le type de ménage le plus important dans les coopératives d'habitation, suivis des familles monoparentales, des couples sans enfant et des couples avec enfant. Ces ménages se répartissent comme suit :

- Personne seule : 45 %
- Famille monoparentale : 18 %
- Couple (marié ou vivant en union de fait) sans enfant : 15 %
- Couple (marié ou vivant en union de fait) avec enfant : 14 %
- Autres : 8 %

Il importe de rappeler que la proportion des ménages formés d'une seule personne se situe à 31 % pour l'ensemble des ménages du Québec en 2006. La proportion des personnes seules est donc nettement plus élevée au sein des ménages occupant un logement dans une coopérative d'habitation que dans l'ensemble des ménages du Québec.

Deux types de ménages ont beaucoup varié entre 1987 et 2007 : les ménages d'une seule personne dont la proportion a presque doublé, passant de 23 % à 45 %, et les ménages avec enfant dont la proportion a diminué de moitié, chutant de 33 % à 14 %. Quant aux familles monoparentales, leur pourcentage baisse de

8 points de pourcentage entre 1987 et 2007. Enfin, la proportion des couples sans enfant est restée stable.

Les femmes sont majoritaires dans les coopératives, représentant 67 % des résidants. Par ailleurs, 74 % des logements accueillent 2 personnes ou moins et seulement 4 % des logements abritent 5 personnes et plus. La taille moyenne des ménages dans les coopératives est de 2,01 personnes. Elle est en diminution et plus basse que la moyenne du Québec (2,3 personnes).

Graphique 2.4

Nombre de personnes par logement vivant dans une coopérative d'habitation, 2007

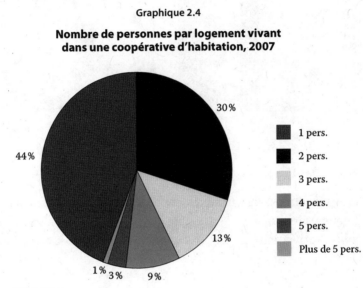

Source : CQCH, 2008.

Âge

L'âge moyen des répondants de l'enquête de la CQCH est de 52 ans en 2007. Entre 1987 et 2007, la répartition des répondants selon les groupes d'âge est relativement stable pour les 35 à 54 ans. Cependant, pour la même période, la proportion du groupe des 35 ans et moins a diminué de moitié, celle des 55 à 64 ans a doublé et celle des 65 ans et plus a augmenté de 10 %. La proportion des personnes âgées de 35 ans et moins est nettement plus faible dans les coopératives d'habitation que dans l'ensemble du Québec : 15 % (CQCH, 2008) comparativement à 42 % (recensement pour 2006 de Statistique Canada). De plus, la proportion des personnes âgées de

Graphique 2.5

Répartition des occupants des coopératives d'habitation en fonction des tranches d'âge en 1987, 1996, 2002 et 2007

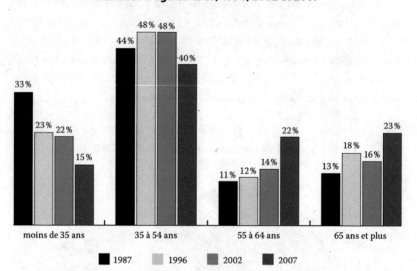

Source : CQCH, 2003 et 2008.

55 ans et plus est significativement plus élevée dans les coopératives d'habitation que dans l'ensemble du Québec : 45 % (CQCH, 2008) comparativement à 27 % (recensement de 2006 de Statistique Canada).

Revenu

Les revenus des résidants proviennent de diverses sources. Selon les revenus déclarés en 2006, 53 % des personnes tiraient leur revenu principalement d'un salaire d'emploi, 3 % recevait de l'assurance-emploi et 16 %, une pension gouvernementale. La proportion des résidants des coopératives bénéficiant de la Sécurité du revenu a diminué de 11 points de pourcentage entre 1995 et 2006. Il n'en demeure pas moins qu'en 2006 la proportion des personnes qui sont prestataires de la Sécurité du revenu est près de deux fois plus élevée dans les coopératives d'habitation (14 %) que dans l'ensemble du Québec (7,5 %).

En 2006, le revenu moyen des ménages résidant dans une coopérative d'habitation était de 26 418 $. Il s'agit d'un revenu

Graphique 2.6

Source de revenu des résidants des coopératives d'habitation en 1986, 1995, 2001 et 2006

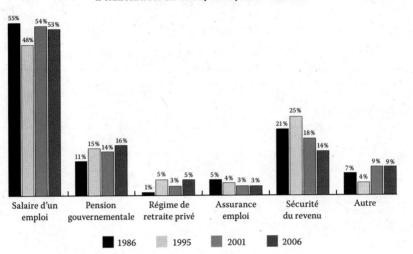

Sources

Source : CQCH, 2008.

moyen nettement inférieur à celui des ménages au Québec qui se situait, en 2005, à 58 954 $. Par ailleurs, 38 % des ménages occupant un logement d'une coopérative avaient un revenu inférieur à 15 000 $ et 51 % un revenu inférieur à 20 000 $. Le pourcentage de ménages qui bénéficient d'une aide à la personne pour payer leur loyer est le même dans les coopératives d'habitation que dans les OSBL d'habitation, à savoir autour de 40 %.

Graphique 2.7

Niveau de revenu des ménages dans les coopératives d'habitation, 2006

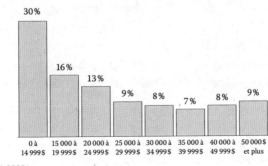

Source : CQCH, 2008.

Le revenu moyen varie beaucoup selon la région administrative. Le revenu moyen le plus élevé se retrouve en Outaouais et le
plus bas se situe dans la région Gaspésie–Îles-de-la-Madeleine.

Tableau 2.15

**Revenu moyen des ménages des coopératives d'habitation
par région administrative, 2006**

Région	Nombre	Revenu moyen
Bas-Saint-Laurent	21	22 655 $
Saguenay–Lac-Saint-Jean	39	23 651 $
Québec	205	27 077 $
Mauricie	9	19 354 $
Estrie	92	24 459 $
Montréal	394	28 322 $
Outaouais	42	29 523 $
Abitibi-Témiscamingue	19	24 095 $
Côte-Nord	6	26 531 $
Gaspésie–Îles-de-la-Madeleine	3	16 687 $
Chaudière-Appalaches	37	25 362 $
Laval	22	19 797 $
Lanaudière	17	26 492 $
Laurentides	6	23 343 $
Montérégie	101	23 399 $
Centre-du-Québec	30	18 917 $
Total	1 043	26 401 $

Source : CQCH, 2008.

3.3 Structures organisationnelles

Les coopératives d'habitation ont un modèle de gestion facilitant
la prise en charge par les résidants de leurs besoins liés à l'habitation. Il s'agit donc d'un modèle favorisant l'*empowerment* des
résidants. L'implication volontaire et bénévole des membres résidants des coopératives est au cœur de leur structure organisationnelle[33]. Les coopératives d'habitation sont dotées de fédérations

---

33. Une nouvelle tendance se dessine. Il s'agit des coopératives de solidarité
d'habitation dont le sociétariat n'est pas réservé aux seuls occupants des logements de ces coopératives.

régionales et d'un regroupement québécois. Elles disposent aussi d'une fédération canadienne et font partie du Conseil québécois de la coopération et de la mutualité (CQCM).

Coopératives d'habitation

L'assemblée des membres est à la base de la coopérative. Toutes les coopératives doivent tenir au moins une assemblée des membres par année – désignée sous le nom d'assemblée générale annuelle – dans les quatre mois suivant la fin de l'exercice financier. Lors des assemblées, chaque membre a droit à un vote, et ce, quelque soit le logement qu'il occupe. Le poids relatif des membres est donc le même et le vote par procuration n'est pas autorisé. L'ordre du jour minimal de cette assemblée générale annuelle est prévu par la *Loi sur les coopératives* et prévoit notamment l'élection des administrateurs, la nomination du vérificateur, l'utilisation des trop-perçus ou excédents, et finalement la prise de connaissance du rapport annuel et de celui du vérificateur.

De façon générale, les membres confient la gestion de la coopérative à un conseil d'administration (CA)[34] composé de cinq (5) à quinze (15) administrateurs, élus parmi les membres de la coopérative. L'administration et la gestion de la coopérative sont assurées par ce conseil d'administration. Toutefois, par règlement, la coopérative peut permettre à des non-membres d'être administrateurs. Ceux-ci ne peuvent représenter plus de 25 % des administrateurs du conseil. Le travail d'administrateur est bénévole et aucune rémunération ne peut être octroyée.

Le CA, conformément à la *Loi sur les coopératives*, se voit confier certains pouvoirs exclusifs[35], notamment l'admission et

---

34. Les coopératives de 25 membres et moins peuvent choisir de ne pas avoir de conseil d'administration si 90 % des membres sont d'accord. Cette disposition de la loi ne les relève pas de l'obligation de nommer des dirigeants et d'embaucher un gérant. Soulignons cependant que la coopérative peut adopter un règlement qui la dispense de l'obligation d'engager un gérant.

35. Les pouvoirs exclusifs sont les suivants : rembourser des parts (art. 38), transférer des parts sociales (art. 39), admettre des membres (art. 51), exclure ou suspendre des membres (art. 57), remplacer un administrateur en cas de vacance (art. 85), engager un gérant (art. 90), former un comité exécutif (art. 107), nommer

l'exclusion de membres et des pouvoirs de gestion qui peuvent être limités par l'assemblée générale. De plus, il peut être responsable de l'embauche du personnel, de l'approbation de contrats avec les fournisseurs, de la désignation des personnes autorisées à signer au nom de la coopérative, ainsi que du respect des règlements et politiques de la coopérative.

Des comités sont formés par les membres afin d'accomplir différentes tâches nécessaires au bon fonctionnement d'une coopérative. Les membres participent selon leurs intérêts et compétences. La formation de comités facilite l'accomplissement des tâches et permet de répartir le travail entre les résidants. Une coopérative peut avoir plusieurs comités ; les plus fréquents sont ceux des finances, de l'entretien et de la sélection des nouveaux membres. On retrouve souvent aussi des comités de loisirs, d'environnement et de bon voisinage. Finalement, un comité très utile est celui de la formation afin d'assurer la relève et le bon accomplissement des tâches de gestion et d'entretien.

Les coopératives peuvent se doter de différents outils tels que des règlements, politiques et procédures, plan de gestion, plan d'entretien, contrat de membre, cahier de membre, etc., afin de faciliter une gestion et un fonctionnement efficaces de leur organisation. Par ailleurs, elles peuvent également obtenir plusieurs services et outils auprès de leur fédération régionale ou auprès de la Confédération québécoise des coopératives d'habitation.

Les fédérations régionales

Les coopératives d'habitation sont regroupées en sept fédérations régionales[36]. Les deux tiers des coopératives font partie d'une

---

des dirigeants (art. 113 et 116), préparer le rapport annuel (art. 132), approuver les états financiers (art. 133), remplacer le vérificateur en cas de vacance (art. 136), recommander quant à l'attribution des ristournes (art. 143), faire ratifier par l'assemblée générale une résolution d'adhésion à une fédération (art. 229). (Extrait du *Guide pratique de gestion des coopératives. Fascicule 7 – Conseil d'administration*, pages 5-6.)

36. En janvier 2008, les fédérations suivantes sont constituées : Fédération Coop-Habitat Estrie (FCHE), Fédération des coopératives d'habitation de la Mauricie et du Centre-du-Québec (FÉCHMACQ), Fédération des coopératives d'habitation

fédération régionale ou sont membres auxiliaires[37] de la Confédération québécoise des coopératives d'habitation (CQCH). Trois régions administratives regroupent une proportion plus élevée de coopératives membres de leur fédération régionale : il s'agit du Centre-du-Québec avec un taux d'adhésion des coopératives à leur fédération régionale qui s'élève à 92,6 %, suivi des régions de la Capitale-Nationale et de l'Estrie, avec des taux de participation qui se situent respectivement à 92 % et à 86,4 %.

Les fédérations régionales sont les représentantes des coopératives afin de promouvoir le développement du logement coopératif et de protéger leurs droits. De plus, elles assurent une voix coopérative auprès des communautés et des instances politiques. Elles favorisent également la concertation en plus de contribuer à l'échange d'expériences et d'expertises.

Les fédérations fournissent aussi des services de formation, d'information et d'assistance technique. Les formations s'adressent à la fois aux administrateurs et aux membres et touchent des thèmes aussi variés que la résolution de conflits, l'entretien des immeubles, le rôle et les responsabilités des administrateurs, la sélection des membres, etc.

Les fédérations proposent également des services de gestion, de développement, d'achats et d'assurance. Les services varient d'une fédération à l'autre. Voici les services les plus fréquemment offerts par les fédérations[38] :

- aide à la location ;
- aide et soutien technique ;
- aide ponctuelle, redressement de coopératives ;
- assurance immobilière ;
- bulletin d'information ;

---

montérégiennes (FÉCHAM), Fédération des coopératives d'habitation intermunicipale du Montréal métropolitain (FÉCHIMM), Fédération des coopératives d'habitation de l'Outaouais (FÉCHO), Fédération des coopératives d'habitation de Québec, Chaudière-Appalaches (FÉCHAQC) et Fédération des coopératives d'habitation du Royaume du Saguenay–Lac-Saint-Jean (FÉCHAS).

37. Le statut de membre auxiliaire de la CQCH est réservé aux coopératives établies en régions non fédérées.

38. Selon les informations présentées par les fédérations.

- groupe d'achats ;
- guide de gestion, modèles de contrats de membre et de règlements d'immeuble, outils d'évaluation ;
- outils de gestion ;
- service d'informations et de référence.

Chaque fédération est dirigée par un conseil d'administration composé d'un président, d'un vice-président, d'un secrétaire, d'un trésorier et d'administrateurs. Les membres du conseil d'administration sont élus lors de l'assemblée générale de chaque fédération. Deux fédérations ont un comité exécutif, celle du Montréal métropolitain et celle de Québec–Chaudière-Appalaches. Toutes les fédérations sont affiliées à la Confédération québécoise des coopératives d'habitation (CQCH), à la Fédération de l'habitation coopérative du Canada (FHCC) et au Conseil québécois de la coopération et de la mutualité (CQCM) jusqu'à tout récemment connu sous le nom de Conseil de la coopération du Québec (CCQ).

La Confédération québécoise des coopératives d'habitation (CQCH)

La Confédération québécoise des coopératives d'habitation fut créée en 1987. Elle est composée des sept (7) fédérations régionales et de membres auxiliaires, qui sont des coopératives situées sur des territoires non fédérés. La mission de la CQCH consiste à regrouper et à défendre les fédérations régionales et à être le porte-parole du mouvement pour l'ensemble du Québec. De ce fait, la CQCH favorise le développement et la promotion des coopératives en habitation. Son rôle principal est d'appuyer les fédérations afin qu'elles puissent offrir à leurs membres l'information et les services nécessaires à la bonne gestion de leur association et de leur projet immobilier. La CQCH offre une gamme de services à ses membres dont ceux d'information, de formation et d'achats. La CQCH possède un conseil d'administration et un comité exécutif.

Fédération de l'habitation coopérative du Canada (FHCC)

Bien que la FHCC ne soit pas directement présente sur le territoire québécois, il apparaît pertinent de souligner ici l'existence de cet organisme du secteur coopératif en habitation. La mission de la FHCC consiste à unir, à représenter et à servir les coopératives d'habitation et les organismes qui les appuient à l'échelle canadienne. La FHCC a pour mandat d'appuyer, de soutenir et de défendre les valeurs et les intérêts de ses membres. Tout comme la CQCH, elle collabore avec ses fédérations régionales afin d'assurer des services de qualité aux coopératives. Finalement, elle est, à l'échelle du Canada, le porte-parole, en partenariat avec la CQCH, du mouvement coopératif en habitation et représente ainsi ses membres auprès du gouvernement fédéral et des organismes connexes nationaux et internationaux.

La FHCC est une coopérative gérée par ses membres. Ces derniers sont les coopératives (à l'extérieur du Québec) et les fédérations régionales (incluant les fédérations régionales du Québec). Son sociétariat comprend également des gestionnaires ou des organismes de soutien au développement, tels les GRT du Québec. Les délégués des membres se réunissent lors de l'assemblée annuelle afin d'échanger et d'élire le conseil d'administration, qui assure le fonctionnement de la FHCC entre les assemblées. Les assemblées annuelles se tiennent dans une ville différente à chaque année. Quant au conseil d'administration, il se réunit généralement à Ottawa au moins quatre fois par année. Il est composé de seize (16) membres, à savoir un (1) représentant par province, cinq (5) membres extraordinaires et un (1) membre d'ascendance autochtone élu par les coopératives d'habitation dont un certain pourcentage des membres sont autochtones. De plus, le conseil d'administration est responsable de l'embauche du directeur général.

La FHCC a quatre (4) comités permanents : le comité des fédérations, le comité sur la diversité, le comité des finances et de la vérification ainsi que le comité d'administration du Fonds de souscription de risque. Elle peut aussi former des groupes de travail pour des tâches ponctuelles.

Conseil québécois de la coopération
et de la mutualité (CQCM)[39]

Le Conseil québécois de la coopération et de la mutualité regroupe en son sein tous les types de coopératives (consommateurs, producteurs, travailleurs, etc.) incluant les coopératives d'habitation. La CQCH est membre du CQCM. Le CQCM est doté d'un conseil d'administration composé de dix-neuf (19) membres dont sept (7) forment le comité exécutif. La CQCH siège au comité exécutif. La mission du CQCM est de participer « au développement social et économique du Québec » par l'entremise d'entreprises coopératives. Le CQCM agit selon trois axes d'action : la concertation, la représentation et le développement.

4. Enjeux et défis

À la lumière du portrait des organismes d'appui au logement communautaire et de celui des coopératives et des OSBL d'habitation, il ressort plusieurs enjeux et défis auxquels ces acteurs doivent faire face.

Il y a d'abord l'enjeu du financement. La réalisation de logements communautaires a bénéficié du soutien de l'État. Des programmes comme l'article 56.1, le PFCH et AccèsLogis ont eu un impact très net sur le développement du parc de logements communautaires. La contribution gouvernementale s'avère donc essentielle à l'ajout de nouvelles unités de logements communautaires. Toutefois, afin de moins dépendre des programmes publics, il importe aussi que les coopératives et les OSBL d'habitation puissent diversifier leurs sources de financement et relever le défi de contribuer, par leurs propres ressources financières, à la réalisation de nouvelles unités résidentielles. La création du Fonds québécois d'habitation communautaire est un bon pas dans cette direction. Nous verrons plus loin dans ce livre d'autres exemples de financement alternatif.

---

39. C'est en 2006 que le Conseil québécois de la coopération (CCQ) élargissait son mandat et adoptait comme nouvelle désignation celle de Conseil québécois de la coopération et de la mutualité.

L'élargissement du mandat des offices d'habitation et leur intervention à titre de développeurs de projets avec l'aide de programmes jusqu'alors réservés aux coopératives et aux OSBL constituent un autre enjeu. Dans un contexte où la contribution du milieu devient essentielle afin d'avoir accès au soutien financier du gouvernement, et considérant qu'elle provient souvent des municipalités, les offices se retrouveront-ils dans une situation où ils feront concurrence aux coopératives et aux OSBL d'habitation pour la réalisation de projets subventionnés par l'État? Quelle sera la spécificité des uns et des autres? Ces offices viseront-ils les mêmes types de population que ceux rejoints par les coopératives et les OSBL? Leurs territoires d'intervention seront-ils les mêmes?

La pérennité d'un soutien technique à la réalisation de logements communautaires représente un autre défi. Au total, environ 60 % de ces logements ont profité de l'aide d'un groupe de ressources techniques (GRT) en habitation, ce pourcentage s'élevant à 85 % au cours des dernières années. L'achat-restauration de logements, la construction de nouvelles unités résidentielles et la création de coopératives et d'OSBL d'habitation s'avèrent des opérations complexes, tant sur le plan social, architectural, financier, réglementaire que juridique. Le soutien des GRT à de telles opérations constitue un atout important qu'il importe de préserver. Cela soulève le défi de leur financement afin d'assurer le maintien de leur existence, voire même de favoriser la création de nouveaux GRT, là où ils sont moins présents.

Le vieillissement du parc de logements communautaires constitue un autre enjeu. Nous avons signalé que de nombreuses unités de logements communautaires ont été réalisées dans les années 1970 et 1980 à la faveur de programmes fédéraux (articles 15.1 et 56.1). Ainsi, avec le temps, ce parc résidentiel se dégrade et nécessite des travaux d'entretien, de réparation, de modernisation et de mise aux normes que les coopératives et les OSBL d'habitation doivent réaliser. Cela pose, à ces organismes, les défis suivants: 1) planifier ces travaux et leur financement, notamment prévoir des fonds de réserve suffisants pour en défrayer les coûts, ce qui suppose pour les résidants des coopératives d'habitation de fixer des loyers plus élevés afin qu'une partie soit consacrée à cette réserve, assumant ainsi la responsabilité, à long terme, de la propriété collective d'un patrimoine résidentiel ; 2) obtenir auprès des GRT ainsi que des fédérations régionales et nationales une aide technique pour évaluer et réaliser ces travaux ; 3) le cas échéant, convaincre les pouvoirs publics de mettre en place des programmes d'aide financière à la rénovation accessibles aux coopératives et aux OSBL.

Les premiers programmes de subventions qui ont permis la réalisation de logements communautaires ont déjà plus de vingt ans, ce qui implique la fin de plusieurs conventions accompagnant ces programmes et reliant l'État à des coopératives et à des OSBL d'habitation. Il s'agit d'un autre enjeu qui soulève un quadruple défi : 1) l'entretien des logements après la fin de ces conventions ; 2) la pérennité du parc de logements communautaires ; 3) la préservation des statuts de coopérative et d'OSBL de plusieurs ensembles immobiliers et des mesures juridiques qu'il convient de mettre en place pour préserver ces formes de propriété collective ; et 4) le remplacement de l'aide publique à la personne qui ne sera plus assurée pour les locataires à faible revenu de plus en plus nombreux dans ce type de logements.

Le vieillissement des résidants s'avère un autre défi : 67 % des locataires des logements d'OSBL ont, en 2006, plus de 55 ans et 36 % sont âgés de plus de 75 ans ; 45 % des résidants des coopératives d'habitation ont, en 2007, 55 ans et plus et 23 % sont âgés de 65 ans et plus, alors que ces pourcentages se situaient respectivement à 24 % et 13 % en 1987. Ce vieillissement met en lumière les besoins qui l'accompagnent, particulièrement en matière d'autonomie personnelle et de services de soutien que ces besoins impliquent, que ce soit au sein des OSBL d'habitation, dont 68 % offrent déjà du soutien communautaire, ou au sein des coopératives d'habitation, dont plusieurs sont en lien avec des organismes communautaires de services. Il s'agit là d'un autre volet du logement communautaire dont il faut assurer un financement adéquat.

Le vieillissement de la population qui habite des logements communautaires, comme la présence de personnes souffrant de problèmes de santé mentale ou d'un handicap physique, en particulier dans les OSBL d'habitation, et celle de nombreuses familles monoparentales, plus spécifiquement dans les coopératives d'habitation, représentent un enjeu en ce qui concerne la participation des locataires à la gestion de ce type de logement. Cette participation qui requiert un certain niveau de disponibilité, d'efforts physiques et de concentration intellectuelle ne sera-t-elle plus exercée que par une minorité de personnes mieux portantes ? Il s'agit là d'un autre défi, celui du maintien d'une vie associative et d'une participation la plus large possible à la gestion du logement communautaire. Trente-quatre pour cent des OSBL offrent un soutien communautaire à la participation de leurs locataires. Ce type de service devrait être fourni par un plus grand pourcentage d'OSBL et de coopératives d'habitation.

Les personnes qui résident dans un logement communautaire ont, en majorité, un très faible revenu. La pauvreté relative des résidants des coopératives et des OSBL d'habitation n'est pas sans lien avec la fin, en 1994, de l'aide publique à la production de nouvelles unités HLM. L'habitation communautaire a alors pris le relais du logement public en accueillant de plus en plus de résidants à faible revenu. Cela représente un autre enjeu pour l'habitation communautaire. Il renvoie au défi de l'augmentation du nombre de locataires qui nécessitent une aide à la personne pour se loger dans ce type de logement et à celui d'éviter la création de ghettos de pauvres dans les OSBL et les coopératives d'habitation afin de maintenir, tout particulièrement dans les coopératives d'habitation, une mixité sociale permettant de varier les expertises des membres de manière à faciliter la gestion collective des immeubles.

Conclusion

L'habitation communautaire répond à un besoin de se loger adéquatement, à prix abordable et en impliquant les résidants dans sa gestion. Il se distingue du logement public de type HLM par les formes particulières de propriété collective auxquelles il correspond, à savoir sans but lucratif ou coopératif, par les modes de participation des usagers qui y sont privilégiés, par la mixité sociale qui y est visée, en particulier dans les coopératives d'habitation, et par la variété des services de soutien communautaire qui y sont offerts, notamment dans les OSBL d'habitation. Depuis 1994, l'habitation communautaire supplée même au logement public puisque aucune nouvelle unité HLM n'a été construite à la suite du retrait du gouvernement fédéral du financement du logement social, ce qui a eu un impact sur le type d'occupants, de plus en plus à faible revenu. Certes, le profil des occupants des OSBL d'habitation (selon l'enquête de 2006) se différencie de celui des résidants des coopératives d'habitation (suivant l'enquête de 2007) : le pourcentage de personnes seules y est plus élevé (75 % contre 45 %), de même que celui des personnes âgées de 55 ans et plus (67 % contre 45 %) et des personnes ayant un revenu inférieur à 20 000 $ par année (85 % contre 51 %), ce qui s'explique par le fait que les OSBL ciblent des populations plus vulnérables. Cependant, le profil des résidants des coopératives d'habitation (selon l'enquête de 2007) se distingue aussi nettement de celui de la population du Québec en général (suivant le recensement de 2006) : le pourcentage de personnes seules y est plus important (45 % contre 31 %) de même que celui des personnes âgées de 55 ans et plus (45 % contre 27 %), et le revenu moyen des ménages y est plus faible que celui des ménages au Québec (26 418 $ contre 58 954 $).

Les OSBL et les coopératives d'habitation possèdent, au Québec, un parc résidentiel qui n'est pas à négliger : près de 60 000 logements en 2008. Quelques unités de logements communautaires peuvent avoir un impact significatif sur la vitalité de certains quartiers urbains et milieux ruraux. La réalisation de logements communautaires a joué un rôle important dans plusieurs programmes de réanimation urbaine mis de l'avant par les municipalités et permet souvent de constituer, à l'extérieur des agglomérations urbaines, le seul parc locatif existant, favorisant ainsi le maintien sur place de ménages vieillissants et l'arrivée de nouveaux ménages, en particulier des jeunes.

Le parc de logements communautaires représente, dans son ensemble, près de 5 % du parc locatif du Québec, ce qui fait des coopératives et des OSBL d'habitation un pourvoyeur non négligeable de logements financièrement accessibles. Toutefois, le nombre de logements communautaires reste insuffisant pour répondre à la demande. Ainsi, outre les enjeux que nous avons évoqués à savoir ceux du financement, de l'intervention des offices d'habitation dans le logement communautaire, du soutien technique, du vieillissement et de la dégradation du parc, du vieillissement et de l'appauvrissement des résidants, du soutien communautaire et de la participation des locataires à la gestion de leur logement, les acteurs du logement communautaire doivent faire face à l'enjeu de répondre à la demande et d'augmenter leur nombre d'unités, ce qui renvoie au défi de convaincre les divers paliers de gouvernement d'injecter plus de fonds et de mettre de l'avant des modes alternatifs de financement.

Bibliographie

AGRTQ et CSMO (2002a). *Manuel de développement de projet, 01-2002 Intro I – Univers du logement communautaire*, Montréal, Association des groupes de ressources techniques du Québec et CSMO Économie sociale action communautaire.

AGRTQ et CSMO (2002b). *Manuel de développement de projet, 01-2002 Intro II – Réseau des Groupes de ressources techniques*, Montréal, Association des groupes de ressources techniques du Québec et CSMO Économie sociale action communautaire.

AGRTQ et CSMO (2002c). *Manuel de développement de projet, 01-2002 Intro IV – Programmes et subventions*, Montréal, Association des groupes de ressources techniques du Québec et CSMO Économie sociale action communautaire.

AGRTQ (2006). « 10 ans de croissance du parc de logements communautaires. *Bulletin de l'AGRTQ*, Novembre. Disponible en ligne à: www.agrtq.ca.

AGRTQ (2007). *Rapport annuel 2006*, Montréal, Association des groupes de ressources techniques du Québec.

Choko, M. et S. Roy (1998). « Les premiers pas » dans *Inter-Loge, 20 ans déjà: un parcours efficace pour toute la communauté*, Montréal, Inter-Loge Centre-Sud, p.12-14.

CQCH (2003). *Enquête sur le profil socio-économique des résidents de coopératives d'habitation –2002*, Québec, Confédération québécoise des coopératives d'habitation.

CQCH (2004). *L'habitation coopérative en tête – Rapport annuel 2003*, Québec, Confédération québécoise des coopératives d'habitation.

CQCH (2008). *Enquête sur le profil socio-économique des résidants de coopératives d'habitation –2007*, Québec, Confédération québécoise des coopératives d'habitation.

Dansereau, F. *et al.* (1998). *Statuts et modes d'accès au logement : expériences et solutions innovatrices au Canada depuis les années 1970*, Paris, PUCA, coll. «Recherches», n° 119.

Dansereau, F. (dir.) (2005). *Politiques et interventions en habitation – Analyse des tendances récentes en Amérique du Nord et en Europe*, Québec, Les Presses de l'Université Laval – Société d'habitation du Québec.

Ducharme, M.-N. et L. Dumais (2007). *Les OSBL d'habitation au Québec, l'offre et les besoins en soutien communautaire*, Montréal, Réseau québécois des OSBL d'habitation.

FQHC (2001). *Planification stratégique 2001-2004*, Québec, Fonds québécois d'habitation communautaire.

FQHC (2007). *Rapport annuel 2005-2006*, Québec, Fonds québécois d'habitation communautaire.

Gaudreault, A et M. J. Bouchard (2002). *Le financement du logement communautaire : évolution et perspectives*, Montréal, ARUC-ÉS.

Gaudreault, A. (2006). *Étude de faisabilité pour la création d'un nouvel organisme d'habitation communautaire à Salaberry-de-Valleyfield*, PRAQ.

Gouvernement du Québec (1984). *Se loger au Québec : une analyse de la réalité, un appel à l'imagination*, Québec, Ministère de l'Habitation et de la Protection du consommateur.

Goyer, P. (2002). «Expériences du secteur à but non lucratif» dans J. Trudel et F. Dansereau (dir.), *Les politiques de l'habitation en perspective – Actes du colloque*, Québec, Société d'habitation du Québec, p. 23-32.

Mercier, A. (2006). *Les coopératives d'habitation du Québec – édition 2005*, Québec, Direction des coopératives du MDEIE.

Morin, R. et F. Dansereau (1990). *L'habitation sociale – les clientèles et leur vécu, les modes de gestion, les solutions de rechange – Synthèse de la littérature*, Montréal, Collection «Rapport de recherche», INRS-Urbanisation, n° 13.

RQOH (2007a). *1. Un secteur d'importance – Enquête auprès des OSBL d'habitation*, Montréal Réseau québécois des OSBL d'habitation.

RQOH (2007b). *2. Les conseils d'administration et les comités – Plus de 5 000 bénévoles dans les OSBL d'habitation*, Montréal, Réseau québécois des OSBL d'habitation.

RQOH (2007c). *3. Le soutien communautaire – Des pratiques à reconnaître*, Montréal, Réseau québécois des OSBL d'habitation.

RQOH (2007d). *5. Les locataires – De la vulnérabilité à l'autonomie*, Montréal, Réseau québécois des OSBL d'habitation.

SHQ (2002). *Plan stratégique 2002-2007*, Québec, Société d'habitation du Québec.

SHQ (2003). *Logement abordable Québec – Volet social et communautaire. Information générale*, Québec, Société d'habitation du Québec.

SHQ (2007). *Colloque des gestionnaires techniques – SHQ-OMH 2007*, Québec, Société d'habitation du Québec.

Tanguay, B. (2002). « Nouveau rôle des offices municipaux d'habitation » dans J. Trudel et F. Dansereau (dir.), *Les politiques de l'habitation en perspective – Actes du colloque*, Québec, Société d'habitation du Québec, p. 17-22.

Sites Internet

www.agrtq.qc.ca

www.cmhc-schl.gc.ca/fr/index.html

www.cooperativehabitation.coop

www.coopquebec.coop

www.fhcc.coop/fra

www.fqhc.qc.ca

www.habitation.gouv.qc.ca

www.rqoh.com

PARTIE 2

Innovations sociales
et mouvements sociaux

CHAPITRE 3

Le financement de l'habitation communautaire

Marie J. bouchard et Allan Gaudreault[1]

Introduction

Le secteur de l'habitation communautaire au Québec est constitué de modes de propriété originaux par lesquels les ensembles résidentiels locatifs sont sous propriété collective, soit sous forme de coopérative, soit sous forme d'organisme sans but lucratif (OSBL). Ces organismes sont responsables, à court et à long terme, de l'entretien du parc de logements et des obligations financières qui en découlent. La production de logements communautaires requiert des gouvernements, de la collectivité et des résidants des efforts financiers substantiels. La durée des logements et des investissements dépasse de loin la durée moyenne d'utilisation de chaque résidant. Ceux-ci sont locataires et paient un loyer qui correspond aux charges ou à leur capacité de payer (le différentiel étant assumé par une subvention dans ce dernier cas). Les

---

1. Ce texte a été rédigé avec la collaboration de Nathalie Decroix, étudiante à l'Université du Québec à Montréal, assistante de recherche à la Chaire de recherche du Canada en économie sociale et à l'Alliance de recherche universités-communautés en économie sociale (ARUC-ÉS).

logements sont contrôlés juridiquement par les résidants ou leurs représentants. Chaque personne y trouve un logement de qualité à un prix acceptable sans intérêt pécuniaire spéculatif puisque la valeur restera durablement collective. Il faut noter que les ensembles d'habitation constituent ainsi une forme d'accumulation patrimoniale collective dont une grande partie de la valeur correspond au remboursement de la dette par les loyers des résidants, génération après génération. La finalité est de maximiser le service à l'usager et non les profits. Le logement communautaire est aussi une forme sociale de logement, les gouvernements ayant rapidement compris que cette formule constituait une bonne manière d'offrir un soutien aux ménages à faible revenu.

Le financement du logement communautaire comporte certaines particularités. La première est l'importance et la durée de l'investissement requis pour produire un logement dont la durée de vie est relativement longue, permettant, en autant qu'il soit par la suite bien entretenu, à plusieurs générations de ménages d'en faire usage dans des conditions économiques analogues. Une autre particularité est la relative difficulté à générer une offre durable de logements à coût abordable par les simples mécanismes du marché. Enfin, la plupart des institutions financières éprouvent des réserves quand vient le temps d'appuyer des projets de propriétaires collectifs tels que les organismes sans but lucratif et les coopératives d'habitation. En conséquence, des mesures spécifiques s'imposent pour en favoriser l'émergence et la viabilité.

Dans ce contexte, deux enjeux se posent. Le premier concerne l'accès au financement primaire. Comme les futurs occupants ont des revenus faibles ou modestes et que l'accession à la propriété se fait en mode collectif, le recours au financement hypothécaire exige des conditions particulières. Outre les aides publiques (décrites au chapitre 2), le montage financier de projets collectifs mobilise également le concours de prêteurs hypothécaires ainsi que les contributions des milieux. Les différentes étapes d'un projet requièrent diverses formes de financement, et des outils adaptés s'avèrent nécessaires. La première partie de ce chapitre décrit le montage financier et les étapes du financement d'un projet type d'une organisation d'habitation communautaire.

Le second enjeu concerne les montages financiers alternatifs au financement public. Suivant les époques, les programmes d'aide publique disponibles ont appuyé soit la pierre, soit la personne, soit les deux. L'ampleur et le type d'aide publique ne suffisent toutefois pas à répondre à la demande pour du logement de qualité à prix abordable. La seconde partie du chapitre se consacre aux formes alternatives de financement qui ont été développées, principalement pour augmenter le parc de logements communautaires et pour en pérenniser le caractère social collectif. La conclusion évoque les enjeux posés à long terme par ce modèle de propriété, en raison des différentes formes de financement qu'il implique.

1. Le mode d'emploi du financement d'un projet

Dans cette partie du chapitre, nous tentons de présenter une sorte de « mode d'emploi » du financement d'un projet d'habitation communautaire. La structure du montage financier global est expliquée dans la première section (1.1). Ce montage financier nécessite un accompagnement conséquent, notamment des outils financiers adaptés aux particularités d'un propriétaire collectif (section 1.2). Cette hybridation, tout en favorisant le développement d'un secteur protégé des jeux spéculatifs, pose toutefois des défis qu'il sera important de relever concernant notamment la viabilité à long terme du parc de logements communautaires (section 1.3).

1.1 Le montage financier du logement communautaire

Le recours systématique à des subventions n'est pas toujours requis pour réaliser des logements communautaires, selon la conjoncture et les objectifs visés par la politique publique. Les premiers ensembles d'habitation communautaire locatifs réalisés au cours des années 1960 et 1970 ne requéraient qu'une facilitation de l'accès au capital (prêt hypothécaire). Les institutions financières traditionnelles hésitaient en effet à prêter aux organismes promoteurs, notamment en raison de la nouveauté du modèle collectif de propriété et de gestion mis de l'avant. Dans le cas des ensembles d'habitation réalisés par la Fédération Coop-Habitat

(1967-1970), le soutien externe consistait uniquement en des garanties de prêts fournies par la Société d'habitation du Québec (SHQ). Les initiatives ont par la suite eu recours à diverses mesures : prêts directs émis par la Société canadienne d'hypothèques et de logement (SCHL), garanties de prêts des sociétés d'État (SCHL, SHQ), puis prêts consentis par des institutions financières, ainsi que diverses formes d'aide aux ménages.

Tout comme les fournisseurs de logements privés marchands, les organisations du secteur communautaire, en tant qu'entreprises et propriétaires immobiliers, sont sujettes aux règles du marché. Il en découle une obligation de viabilité économique et des responsabilités quant aux gestes posés par les administrateurs (dont plusieurs, sinon la totalité dans le cas des coopératives, sont des résidants). Ceux-ci doivent gérer des budgets qui sont en bonne partie déterminés par les coûts d'exploitation (taxes foncières, assurances, entretien, réparation, etc.) et par les coûts de financement (taux d'intérêt et remboursement des emprunts). Ils doivent assurer le fonctionnement courant des ensembles immobiliers résidentiels qu'ils possèdent, mais aussi constituer des réserves financières afin de maintenir en état leur propriété et prévenir le recours éventuel à des emprunts coûteux. Cependant, la mission des organisations (plus ou moins formalisée par les aides publiques) les oblige aussi à respecter leur double engagement qui consiste à offrir des logements à leur coût de revient et à en favoriser l'occupation par des ménages dans le besoin[2].

Les organisations tirent leurs revenus monétaires principalement de deux sources : les loyers perçus des locataires et les subventions provenant des programmes d'aide publique. En termes de ressources non monétaires, on doit également considérer le

---

2. Notons que le « besoin » peut se définir de manière nuancée si on se réfère au revenu (quintiles de revenus selon Statistique Canada) ou aux formes plus ou moins perceptibles de discrimination qui s'exercent sur le marché (familles nombreuses, minorités raciales, ménages issus de l'immigration, etc.). Les programmes véhiculent parfois des définitions de ce qu'est un ménage ou une personne dans le besoin notamment en utilisant le taux d'effort (au-delà de 30 % du RBM) ou l'incapacité de trouver un logement adapté à ses besoins en raison de contraintes physiques ou du besoin de services de soutien.

temps investi par les bénévoles dans l'administration et la prise en charge des opérations courantes, notamment dans le cas des coopératives d'habitation. La proportion des revenus provenant de l'aide publique et les modalités de cette aide varient selon les programmes et les objectifs visés[3]. La figure 3.1 illustre de manière schématique la structure financière d'un projet immobilier résidentiel dans le secteur communautaire[4].

Figure 3.1

Structure financière d'un projet immobilier communautaire

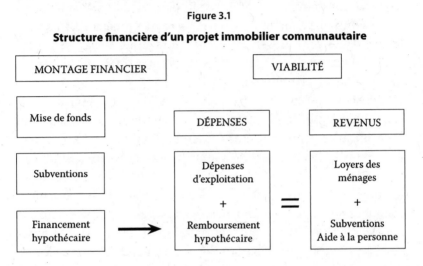

Source : Groupe de ressources techniques Bâtir son quartier et Institut d'urbanisme de l'Université de Montréal (2006), p. 37.

---

3. En 2006, une étude démontre que les subventions représentaient globalement, toutes les générations de subventions confondues, environ 30 % des revenus des coopératives d'habitation québécoises. Cette proportion varie selon les programmes et leurs modalités de financement. Les données n'étaient pas disponibles pour le parc immobilier des OSBL d'habitation, auxquelles il faudrait ajouter celles destinées à des services de soutien communautaire aux personnes (Gaudreault, 2006). En 2007, une autre étude démontre que, dans la région administrative de Montréal, plus de la moitié (53 %) des revenus des établissements d'économie sociale du secteur « Location et habitation » (principalement du logement communautaire mais pas uniquement) provenait des ventes. La majorité (83 %) des établissements de ce secteur n'offraient pas d'emploi rémunéré à temps plein ou à temps partiel. Lorsqu'il y avait un emploi, il était à temps plein plus d'une fois sur deux. Dans l'ensemble, seulement 19 % des établissements consacraient plus de 25 % de leurs revenus à la masse salariale (Bouchard *et al.*, 2008).
4. Le schéma n'inclut pas le financement des services aux personnes ni celui du soutien communautaire.

Deux formes de subventions publiques peuvent être distinguées, l'aide à la pierre et l'aide à la personne. L'**aide à la pierre** est principalement une forme de régulation de l'offre. On y a généralement recours pour augmenter l'offre de logements abordables en période de pénurie de logements et lorsque l'État souhaite stimuler l'économie. L'**aide à la personne** assure principalement la solvabilité de la demande et permet de combler l'écart entre la capacité de payer des locataires et les coûts requis pour viabiliser l'exploitation des ensembles d'habitation, selon des barèmes préétablis. Ces deux formes d'aide sont souvent combinées lors de la réalisation de projets d'habitation pour combler les écarts entre l'offre et la demande de logements à prix abordable.

Plusieurs programmes des années 1970 et 1980 étaient basés sur l'aide à la pierre à long terme s'échelonnant sur des périodes pouvant aller jusqu'à 50 ans (durée de l'hypothèque). Les programmes actuels favorisent l'apport ponctuel en capital sous forme de subvention ou de mise de fonds du milieu au moment de la réalisation des projets. Il s'agit de subventions en capital « amorties » sur un certain nombre d'années, qui sont parfois jumelées à des contributions (subventions) de la collectivité (municipalités et groupes sociaux), à des dons en argent ou sous forme de terrains et de bâtiments, et à d'autres fonds provenant d'organismes publics, institutionnels et privés. Le cumul de ces contributions en capital – qui représentent l'aide à la pierre – a pour effet de diminuer la dette des organisations. Le financement des coûts de réalisation non couverts par les subventions et par les autres contributions fait l'objet d'emprunts hypothécaires à long terme contractés par les organisations auprès de prêteurs privés. Pour s'assurer que les logements produits demeurent abordables pour les plus démunis, on associe souvent l'aide à la pierre avec un programme d'aide à la personne dont la disponibilité est garantie pour plusieurs années.

Par ailleurs, l'octroi de subventions en capital est accompagné de garanties qui protègent la créance des prêteurs : il s'agit de la garantie de prêt ou de l'assurance hypothécaire, une forme de garantie de prêt pour laquelle l'emprunteur verse une prime. Ces deux formes de protection ont pour effet de diminuer les risques associés aux fluctuations du marché immobilier; ainsi, en cas de défaut de paiement, les pertes sont assumées par l'institution publique ayant fourni les garanties et le prêteur récupère alors son capital[5].

À ces aides publiques sont associées des responsabilités. Outre leur responsabilité civile, les administrateurs n'encourent toutefois aucun risque financier direct sinon, à l'instar de tous les résidants (lorsque les administrateurs le sont), la perte éventuelle de qualité voire de l'usage de leur logement. La formule collectivise ainsi le risque (vue l'absence de propriétaire pouvant être tenu individuellement responsable), tout en confiant les responsabilités légales à des citoyens (résidants des immeubles ou non).

1.2 Le financement en immobilier résidentiel communautaire

De façon générale, on peut distinguer les formes de financement selon les étapes du processus de réalisation et de gestion des ensembles d'habitation, à savoir le financement de démarrage, le financement de réalisation et le financement à long terme. Comme nous le verrons, divers organismes et institutions ont développé des mécanismes particuliers pour intervenir à chaque étape à l'aide de produits financiers spécifiques au logement communautaire.

1.2.1 Le financement de démarrage

À l'étape du démarrage d'un projet, c'est-à-dire avant la construction ou la rénovation des immeubles résidentiels, les promoteurs doivent effectuer diverses opérations et transactions: recherche d'emplacements, engagement de professionnels, études diverses, offres d'achat sur des terrains ou sur des bâtiments, actes d'achat et négociations pour le financement hypothécaire. Les programmes d'aide publique prévoient généralement l'octroi de fonds qui couvrent une partie des montants nécessaires à cette étape. Il s'agit de prêts, de dons ou de subventions, suivant les conditions

---

5. La SHQ offre des garanties de prêts et la SCHL fournit l'assurance hypothécaire.

de mise en œuvre propres à chaque projet et à chaque programme. En complément, des outils de financement des institutions financières, des coopératives, des OSBL d'habitation, des GRT et des fédérations de coopératives utilisent des fonds provenant de plans d'épargne collective, par exemple le Régime d'investissement coopératif (RIC) de la Fédération des coopératives d'habitation intermunicipale du Montréal métropolitain (FÉCHIMM), comme levier pour obtenir des prêts lors de l'étape du démarrage.

1.2.2 Le financement de réalisation

Un **financement temporaire** peut être requis pour la période de la construction ou de la rénovation ; il est utilisé pour acquitter les dépenses de réalisation d'un projet au cours de la période de travaux. Cette période se situe entre l'engagement définitif d'un projet – la promesse d'aide gouvernementale – et la prise de possession de l'immeuble par le promoteur. Il s'agit en fait d'une avance sur le prêt hypothécaire à long terme. L'institution financière qui fournit ce financement à long terme est généralement celle qui débourse les sommes nécessaires pour payer le terrain, les bâtiments, les entrepreneurs, les professionnels et les autres dépenses admissibles. Le total de ces déboursés est inclus dans le prêt hypothécaire. Des intérêts sont facturés par le prêteur au fur et à mesure que les fonds sont déboursés. Les coûts du financement temporaire sont eux aussi inclus dans le prêt hypothécaire.

Le **capital de développement** est requis lorsqu'un projet ne correspond pas aux normes traditionnelles de gestion des risques des prêteurs. On y a recours généralement dans le cas de projets comportant des risques relativement plus élevés de défaut de remboursement. Par exemple, lorsqu'un dépôt non remboursable est requis à la conclusion d'une offre d'achat ou lorsqu'on souhaite acquérir un emplacement avant d'avoir réuni l'ensemble du financement nécessaire pour en assurer la viabilité. Le capital de développement (que certains désignent comme capital de risque) peut prendre la forme d'un investissement d'équité ou de semi-équité[6]

---

6. Le concept de « semi-équité » ou de « quasi-équité » est employé pour parler d'un prêt à long terme et à taux réduit. Cette forme de financement connaît au

permettant de mieux capitaliser un projet. Il peut également s'agir d'un prêt à plus long terme. Le recours au Fonds de souscription de risque de la FHCC est un exemple de ce type d'intervention (voir à ce sujet le tableau 3.1).

Le **prêt de relais** (aussi dit « de pontage ») assure temporairement la transition entre deux stratégies de financement, particulièrement pour réaliser un projet avant d'avoir obtenu l'ensemble du financement permanent.

1.2.3 Le financement à long terme lors de l'exploitation

Une fois la construction ou la rénovation d'un projet d'habitation achevée, l'ensemble des sommes non couvertes par les mises de fonds, les dons et les subventions font l'objet de financement à long terme. Les revenus de location perçus servent alors à rembourser les emprunts contractés. Ce financement à long terme peut reposer sur les outils suivants :

Le **prêt hypothécaire de premier rang** est un emprunt à long terme assorti d'une hypothèque, c'est-à-dire un lien prévoyant la reprise de possession des immeubles par le prêteur en cas de défaut de paiement et la capacité de revendre l'immeuble pour se rembourser.

Le **prêt complémentaire** intervient lorsque le prêteur hypothécaire principal souhaite limiter son investissement ou lorsqu'un organisme est faiblement capitalisé. Un second prêteur est alors sollicité, ce qui a pour effet de partager le risque en cas de défaut de paiement. Ce type de prêt est aussi assorti d'une hypothèque, mais elle est subordonnée à la première.

La **garantie de prêt** est une forme de protection à laquelle on a recours lorsque le financement hypothécaire d'un projet est disponible mais que la mise de fonds de l'emprunteur est insuffisante ou que le prêteur souhaite limiter sa responsabilité et ses risques.

L'**assurance hypothécaire** est une forme de garantie de prêt prévoyant le paiement d'une prime d'assurance lorsque la mise

---

cours des années 2000 un déploiement important, au Québec comme ailleurs, par l'entremise d'organisations de finance « solidaire », dont les souscriptions sont en général de sources publiques ou de dons désintéressés.

Tableau 3.1

Les outils de financement du logement communautaire et leur utilisation

Étape de réalisation	Produit financier	Utilisation	Origine
Financement de démarrage	Prêts de démarrage, dons, subventions	Couvre les frais encourus durant la période de développement : études de marché, plans d'affaires, implantation préliminaire, esquisses, constitution	SCHL, SHQ, villes mandataires, fondations, groupes sociaux, organismes de développement local, fonds fédératifs
Financement de réalisation	Financement de la construction	Couvre les dépenses pour la période suivant l'engagement du prêteur et la prise de possession par le groupe promoteur : avances sur le prêt hypothécaire	SCHL (anciens programmes), caisses, banques
	Capital de développement	Injection de fonds ou prêt lorsqu'un projet comporte des risques de défaut de paiement ou qu'il est sous-capitalisé	Fonds fédératifs, IQ, FQHC
	Prêt de relais	Transition entre deux stratégies de financement	Fonds fédératifs, IQ
Financement à long terme lors de l'exploitation	Prêt hypothécaire de 1er rang	Prêt à intérêt remboursable sur une longue période d'amortissement ; garanti par une hypothèque de 1er rang	SCHL, caisses, banques
	Prêt complémentaire	Prêt additionnel visant à compenser la faible capitalisation ; sujet à une hypothèque de 2e rang	Fonds d'investissement de Montréal, fonds fédératifs, SCHL, FQHC
	Garantie de prêt	Protection en cas de défaut de remboursement de prêt	SHQ, IQ
	Assurance hypothécaire	Protection en cas de défaut de remboursement de prêt moyennant le paiement d'une prime	SCHL

de fonds dont dispose un organisme est insuffisante pour obtenir un prêt hypothécaire traditionnel[7].

Comme nous le verrons plus loin, certains de ces moyens sont offerts par des organismes issus du milieu communautaire alors que d'autres sont offerts par des institutions financières. Sauf exception, les garanties et les assurances hypothécaires sont accordées par des sociétés d'État, respectivement la SHQ et la SCHL. À titre complémentaire, la société d'État Investissement Québec (IQ) a récemment mis en place un programme de garantie de prêt qui facilite les montages financiers lors de la remise en état ou de la consolidation de projets d'habitation. Il s'agit d'un outil additionnel plus spécialisé répondant aux nouveaux besoins occasionnés par le vieillissement du parc de logements communautaires.

Le tableau de la page précédente récapitule les principaux outils de financement disponibles ainsi que leur utilisation, selon les étapes de réalisation.

Pour répondre à la pluralité des besoins sociaux, aux difficultés croissantes rencontrées au cours du processus de développement des projets en habitat communautaire et aux besoins de conservation des parcs immobiliers, de nouveaux montages financiers ont été requis. Une seule source de fonds – qu'elle soit d'origine communautaire, privée ou publique – s'avère aujourd'hui insuffisante pour, à elle seule, assurer la faisabilité financière d'un projet. Selon les combinaisons utilisées, l'hybridation du financement est assortie d'avantages pour les partenaires communautaires, gouvernementaux et privés. Elle comporte aussi son lot de défis.

1.3 Quelques défis

Le secteur québécois du logement communautaire est composé en très grande majorité d'OSBL et de coopératives locatives dites « à possession continue ». Cette formule locative a des conséquences qui ont été très tôt remarquées (Sylvestre et Leduc, 1978), notamment l'arbitrage entre une formule qui permet, d'une part,

---

7. On considère généralement qu'un emprunteur doit disposer d'une mise de fonds minimale de 25 % de la valeur d'un immeuble pour obtenir un prêt sans avoir recours à l'assurance hypothécaire.

de générer un parc de logements locatifs soustraits à la spéculation et au prix le plus abordable possible – entre autres avec l'aide de subsides publics – et, d'autre part, de garantir l'autonomie des organisations d'économie sociale. On souhaite favoriser cette autonomie en confiant la responsabilité de gestion aux conseils d'administration d'organismes indépendants de l'État (principe d'autonomie).

Se situant quelque part entre le logement locatif privé marchand et le logement locatif public, le logement locatif communautaire répond à deux logiques distinctes bien que complémentaires : une logique d'association gestionnaire et une logique de programme public. Le croisement de ces deux mondes s'exprime dans le mode de production des logements, dans les outils de financement qu'ils mobilisent et dans le mode de gestion courante des ensembles d'habitation. Notons qu'une troisième logique s'ajoute, en particulier au cours des dernières décennies, celle du soutien communautaire aux personnes vulnérables. Nous n'avons pas traité ici de ce volet, dont les ressources financières sont spécifiques. Cet aspect du logement communautaire, soutenu par certaines coopératives mais surtout par des OSBL d'habitation, est plus particulièrement traité dans le chapitre 5 de cet ouvrage.

Les principaux acteurs impliqués dans le financement de l'habitation communautaire sont les résidants, des institutions financières et des agences publiques administrant des fonds gouvernementaux ou municipaux. Le démarrage des projets est réalisé en combinant des prêts, des subventions et, dans le cas des coopératives, des parts sociales de qualification. La viabilité des projets à long terme est assurée par les loyers des résidants dont certains sont appuyés d'aide spécifique afin de combler l'écart entre les coûts du loyer et leur capacité de les assumer. Outre les coûts reliés à l'exploitation (entretien, énergie, taxes, etc.), le principal poste de dépenses est le remboursement de la dette hypothécaire, étalée sur une longue période (pouvant aller jusqu'à 50 ans).

Ce montage financier permet de réaliser des ensembles d'habitation dont la prise en charge est assumée par des résidants et des membres de la communauté environnante. Toutefois, le nombre de logements de qualité à prix accessible est toujours insuffisant pour répondre à la demande. Les programmes d'aide publique ont été jusqu'ici relativement généreux mais insuffisants et leur avenir dépend toujours des volontés politiques. Par ailleurs, les organisations qui possèdent les immeubles n'ont pas d'obligation, une fois la dette remboursée, de poursuivre la mission sociale associée au financement public, notamment la mixité socioéconomique du groupe de résidants. Cet engagement est le fait d'une convention avec l'agence publique, laquelle vient à échéance au remboursement complet du prêt hypothécaire. De plus, mis à part les unités d'habitation créées avec les programmes AccèsLogis et Logement abordable Québec – volet social et communautaire, aucun mécanisme n'est prévu pour que les organisations continuent d'investir dans le développement de nouvelles unités, notamment une fois leur dette remboursée.

Leurs statuts juridiques obligent les OSBL d'habitation à ne pas générer de profits et les coopératives à ne pas distribuer d'excédents aux membres sous forme de ristourne et à ne pas s'approprier individuellement les actifs nets en cas de dissolution. Le profil des résidants des habitations communautaires au Québec aujourd'hui montre que la mission sociale de ces organismes est bien soutenue (voir le chapitre 2). Toutefois, des failles peuvent apparaître et font craindre par moments que le mouvement ne puisse assurer durablement cette mission. La principale faille est liée au taux d'épargne fait par les organisations pour assurer la continuité de l'entretien des immeubles. Le besoin d'avoir des loyers bas peut entraîner un trop faible investissement dans des réserves qui serviront à rénover les logements. Quelques cas très isolés d'opportunisme (sous-location informelle des logements, paiement d'un droit d'entrée ou «pas de porte», etc.) ont aussi fait voir la nécessité d'articuler la mission des organisations à des formes d'engagement à plus long terme, notamment au plan financier.

Ainsi, le rythme de croissance du secteur pourrait être mieux soutenu. Dans le parc de logements déjà développé, un processus de «dé-collectivisation» peut se faire de manière ascendante, la tentation pouvant être de conserver les loyers en-deçà du niveau des coûts réels (dépenses courantes et dépréciation des actifs), ou de manière descendante, les membres (par exemple dans les coopératives) pouvant être tentés, une fois les dettes immobilières remboursées, de s'approprier individuellement le fruit des efforts consentis collectivement (au moyen des loyers qui ont remboursé la dette, génération après génération de locataires, ou sous forme des subsides publics qui ont été investis). La volonté d'augmenter la capacité du mouvement à se développer et de le faire dans le respect de sa mission d'origine ont jeté les bases de la création de différents mécanismes de financement alternatifs.

2. Les modes de financement alternatifs

L'intérêt de se pencher sur les modes de financement alternatifs est lié au souhait de réduire la dépendance du secteur aux orientations gouvernementales et aux fluctuations éventuelles des politiques d'habitation. Le but recherché est de développer pour l'avenir, tout en préservant les acquis du passé. Les acteurs n'ont pas attendu la réduction des investissements publics pour réfléchir aux manières de revisiter le modèle de développement ainsi que les modalités de gestion des actifs afin de prendre acte des leçons de l'histoire tout en poursuivant des objectifs d'accessibilité, de solidarité et de démocratisation des milieux de vie.

Les initiatives dont il sera question dans ce chapitre ne sont pas nouvelles, à l'exception du Fonds québécois d'habitation communautaire (FQHC). Les modes de financement alternatif du logement ont, dans la plupart des cas, été pensés dans un souci de garantir la pérennité du parc existant, l'accès à du financement à meilleur coût, ainsi que l'autonomie financière des projets. Les formules présentées dans ce chapitre, même si elles demeurent encore marginales, apportent des solutions originales, innovantes et reproductibles pour le développement de projets de coopératives ou d'OSBL d'habitation.

2.1 Le financement complémentaire à la réalisation

La majorité des projets d'OSBL et de coopératives sont soutenus par des programmes gouvernementaux d'habitation communautaire. La décision de réaliser un projet d'habitation hors programme est souvent prise lorsque le montage financier est difficile à mettre en place ou lorsque l'accès à une subvention exige un financement complémentaire[8].

2.1.1 Initiatives des OSBL d'habitation

Les pratiques alternatives de financement des OSBL d'habitation sont plus difficiles à identifier que celles des coopératives d'habitation car elles sont à l'heure actuelle beaucoup moins documentées. Quatre types de financement hors programmes des projets d'OSBL, qui ne sont pas des contributions exigées en vertu des programmes gouvernementaux, ont été identifiés. Ces formules de financement, bien qu'alliées ici à des initiatives menées par des OSBL, peuvent aussi s'appliquer à des coopératives.

L'aide publique locale: Il existe de nombreux programmes municipaux qui financent des projets d'OSBL d'habitation. Certaines municipalités font des offres de financement sur mesure et d'autres décident de prendre en charge elles-mêmes le projet ou encore de le confier temporairement à des sociétés paramunicipales. Une municipalité peut, par exemple, donner ou prêter à long terme des terrains à un OSBL, accorder des exemptions de taxes ou encore offrir des services gratuitement, tels que la tonte du gazon ou la décontamination d'un lieu, etc.

Les dons et les collectes de fonds: Certains organismes tels que des clubs sociaux, des communautés religieuses ou des fondations font des dons matériels (par exemple des terrains) ou financiers afin de permettre le développement de projets d'OSBL d'habitation. Des fondations privées ont aussi créé leur propre résidence de la même manière qu'elles financent d'autres projets. Les initiatives d'autofinancement par collectes de fonds restent très marginales et ne couvrent en général qu'une petite partie du coût du projet. Il y a toutefois quelques exemples de projets disséminés sur le territoire québécois qui sont très variés et imaginatifs. Il peut s'agir par exemple de l'organisation de « soupers spaghettis »

---

8. C'est le cas par exemple pour le programme AccèsLogis où la contribution du milieu est souvent constituée de divers moyens de financement alternatif tels que des collectes de fonds, etc.

ou de visite de porte à porte en demandant une contribution (par exemple 1 000 $), permettant de réunir la somme nécessaire pour faire un emprunt complémentaire à la banque et obtenir une garantie de prêt de la municipalité. Des corvées sont parfois organisées pour soutenir le développement d'un OSBL en habitation. Les enjeux du maintien de la population ainsi que de son vieillissement et de la perte d'autonomie qui y est souvent associée se posent dans de nombreux villages du Québec. La solidarité au sein de ces villages reste souvent forte lorsque vient le temps d'appuyer un projet d'OSBL d'habitation, notamment pour les personnes âgées qui veulent continuer d'habiter l'endroit.

Ententes particulières : Il existe aussi des ententes particulières hors programmes entre des OSBL d'habitation et des agences régionales de la santé et des services sociaux[9]. Ces dernières peuvent aider au financement d'un projet par une aide à la pierre (rarement) ou par la participation aux services mis en place pour les résidants. Ces projets concernent souvent une clientèle issue du réseau de la santé comme des personnes en réadaptation.

Les fonds dédiés : L'idée de créer un fonds dédié au logement communautaire est apparue à la suite des coupures des programmes du gouvernement fédéral en 1993. Des intervenants montréalais, impliqués dans des organismes communautaires liés aux problématiques sur l'itinérance, ont reproduit l'exemple des fonds fiduciaires pour le logement aux États-Unis. Ceux-ci sont des organismes locaux, créés par des États, des comptés ou des municipalités, affectant une source spécifique de revenus permanents à la production et au maintien de logements abordables destinés aux ménages à faible revenu (SCHL, s.d.). Le revenu dédié se définit comme « [...] toute forme d'impôts, de taxes ou de droits spécifiques levés par un gouvernement ou une administration

---

9. Au nombre de 18, les agences de la santé et des services sociaux sont responsables de la coordination et de la mise en place des services sur leur territoire respectif. Elles doivent notamment élaborer les orientations et les priorités régionales, exercer les fonctions régionales de la santé publique, faciliter le déploiement et la gestion des réseaux locaux de services, et assurer l'allocation des budgets aux établissements et des subventions aux organismes communautaires. Les agences doivent également s'assurer de la participation de la population à la gestion des services, de la prestation sécuritaire des services et du respect des droits des usagers.

publique et dont les fonds sont réservés en tout ou en partie à un usage prédéterminé » (Gaudreault et Moreau, 2002 : 7). À Montréal, le Fonds dédié à l'habitation communautaire de Montréal (FDHCM) a été constitué en juillet 1998. Organisme sans but lucratif, son objectif est de créer une source de revenu dédié à l'hébergement des personnes sans domicile fixe et à la prestation de services appropriés à cette clientèle. L'initiative montréalaise se veut une alternative aux fonds provenant des programmes gouvernementaux. Elle vise la mise en place d'un fonds composé d'une taxe sur le tourisme[10], projet qui n'a pas encore vu le jour. Le FDHCM a depuis suspendu ses activités de recherche de financement. L'avantage de ce type d'initiative est qu'elle permet de créer une source de financement indépendante des choix budgétaires gouvernementaux. Toutefois, les fonds ainsi recueillis sont sujets aux fluctuations économiques propres au secteur d'où proviennent les taxes (Gaudreault et Bouchard, 2002).

L'aide publique locale, l'autofinancement par les dons ou collectes de fonds et les ententes particulières sont les trois modes de financement les plus répandus en dehors des programmes destinés à l'habitation communautaire. Toutefois, l'autofinancement et les ententes particulières restent des solutions ponctuelles et ne permettent pas d'assurer une pérennité des services et du financement (Ducharme et Vaillancourt 2002 : 56). Encore peu répandus au Canada, les fonds dédiés se sont beaucoup développés aux États-Unis, où l'on en dénombre une centaine. L'importance croissante de ces fonds chez nos voisins du sud peut laisser croire à un potentiel de leur expansion au Canada (SCHL, s.d.).

2.1.2 Fonds de soutien au développement des coopératives

Le Fonds de souscription de risque a été créé par la Fédération de l'habitation coopérative du Canada (FHCC)[11] en 1981 pour permettre aux coopératives, aux fédérations et aux groupes de

---

10. Les premières études faisaient référence au secteur du tourisme. Pour plus d'informations sur ce sujet, consulter Gaudreault et Moreau, 2002.

11. Les coopératives d'habitation québécoises ne sont pas directement membres de la FHCC. Par contre, elles peuvent y adhérer indirectement si elles sont membres d'une des fédérations régionales québécoises qui y adhèrent.

ressources techniques membres d'obtenir un prêt pour la réalisation de divers projets. Au départ, la Fédération a investi 150 000 $
pour constituer le Fonds. Depuis, d'autres organismes ainsi que
des partenaires[12] y ont souscrit. Pour avoir recours au Fonds, il
faut être membre de la FHCC. Un financement est accordé lorsque
le recours aux prêteurs traditionnels est rendu impossible en
raison du risque impliqué. Il s'agit en général de garanties de prêts
de dernier recours qui permettent aux bénéficiaires d'avoir accès
à d'autres prêts ou programmes. Le promoteur du projet peut
emprunter à une institution financière et le Fonds de souscription
se porte garant pour le remboursement de l'emprunt si le promoteur est dans l'incapacité de le faire. Le Fonds ne doit donc pas
réellement débourser les sommes empruntées, ce qui permet de
« multiplier l'impact en potentiel de prêts ». De plus, le Fonds se
reconstitue lorsque les prêts consentis sont remboursés, ce qui
permet d'appuyer de nouveaux projets.

Depuis 1981, plus de 4 millions de dollars en garanties de prêts
ont été accordés par le Fonds sur des durées moyennes de 3 à
5 ans, dans la plupart des cas pour le démarrage de nouveaux projets. L'originalité de ce Fonds réside, d'une part, dans les sources
multiples de contributions et, d'autre part, dans la nature des prêts
consentis. Il offre en effet des garanties de prêts à risque plutôt
que des prêts directs. Cette initiative communautaire joue le rôle
d'une « bougie d'allumage » dans le développement.

2.2 L'autofinancement du développement par les membres d'une coopérative

La Coopérative d'habitation des Cantons-de-l'Est (CHCE) est souvent citée en exemple, d'abord pour sa taille, puisqu'elle comptait
en 2008 234 logements, répartis dans une trentaine de bâtiments
dans divers quartiers de la ville de Sherbrooke, alors que la taille
moyenne des coopératives d'habitation québécoises est d'environ
20 logements. La « Coop des Cantons » est aussi connue pour son

---

12. Il s'agit d'institutions telles que *Co-operative Trust Company, Co-operators Insurance Group, Cumis Group* ainsi que d'autres organismes comme l'Église Unie, divers groupes de ressources techniques et même des particuliers.

mode de développement entrepreneurial. Il s'agit en fait d'une coopérative à développement progressif : dès sa création, elle s'est donné comme objectif de se développer de façon à influencer le marché de l'habitation locatif dans sa région. Elle a pu atteindre sa taille en utilisant astucieusement au moins quatre programmes gouvernementaux différents, mais elle a également mis en œuvre une stratégie autonome de financement complémentaire.

En plus de prévoir un budget d'entretien et de réparation et de constituer des réserves de remplacement – obligations découlant des accords d'exploitation auprès des organismes subventionnaires –, la coopérative a constitué ses propres réserves non conventionnées, c'est-à-dire non prévues aux accords d'exploitation. Elle a ainsi créé le Fonds de droit au logement, qui peut réduire temporairement le loyer de membres éprouvant des difficultés financières. Elle dépose 350 $ par logement par année dans son Fonds de rénovation, établi en vertu de ses règlements de régie interne, et utilisé comme levier de financement pour conserver ses bâtiments en état et permettre à la coopérative de financer de nouvelles acquisitions sur le marché.

La coopérative, en plus de canaliser ses fonds propres vers l'acquisition et la conservation des immeubles, a mis en application diverses mesures dont l'effet cumulatif explique le succès. Elle a notamment prévu d'amortir ses prêts hypothécaires sur une période de 25 ans alors que la plupart des coopératives sont généralement tenues à des périodes de 35 ans. Cette mesure réduit rapidement son niveau d'endettement, tout en lui permettant d'accumuler un avoir foncier propre significatif (l'équité) et de l'utiliser comme levier de développement. De plus, la coopérative pratique consciemment l'endettement permanent, n'hésitant pas à hypothéquer de nouveau ses bâtiments afin de financer des travaux de rénovation ou d'accumuler la mise de fonds nécessaire à de nouvelles acquisitions. En apparence paradoxales, ces mesures de gestion financière contribuent à préserver la mission sociale de l'entreprise, en protégeant indirectement son parc de logements de velléités d'appropriation individuelle. Ainsi, par un dosage approprié d'accumulation et d'endettement, la coopérative constitue des fonds propres servant de levier d'emprunt ; elle peut alors emprunter sans avoir recours à des garanties externes. Les coûts d'acquisition et de rénovation sont ainsi amortis sur plusieurs années, ce qui lui permet d'offrir à ses membres des logements abordables.

Il est clair que la création de fonds propres à la coopérative ne pourrait se réaliser sans la participation financière fournie par les membres au chapitre du loyer. Les montants requis pour garnir ces divers fonds proviennent des loyers des membres, lesquels se situaient en 2004 à environ 15 % sous les prix du marché locatif local. Selon la coopérative, c'est « le prix à payer pour habiter une coopérative saine financièrement, concurrentielle en termes de coûts et de qualité de services, offrant la sécurité d'occupation et de surcroît relativement autonome au plan de son développement » (Gaudreault *et al.*, 2004a). Il s'agit d'un juste équilibre entre l'accessibilité financière et l'autonomie, considérant le niveau de services que les membres souhaitent se donner. Cela signifie que la coopérative conserve à son emploi l'équivalent de trois personnes à temps plein. Le conseil d'administration, appuyé par les employés et par divers comités, dont les comités de propriétés que l'on retrouve dans chaque projet d'habitation de la coopérative, veille aux orientations générales et aux priorités d'entretien, de réparation et de développement.

Le potentiel de reproduction de cette approche de financement du développement est prometteur pour l'ensemble du secteur communautaire d'habitation. L'avoir propre des divers organismes d'habitation réunis est estimé à plus de 400 millions de dollars et leurs réserves dépasseraient les 200 millions de dollars (Gaudreault, 2006). La mobilisation de ce capital est toutefois soumise à diverses contraintes réglementaires, physiques et sectorielles. L'adoption d'une culture de planification visant la conservation du parc immobilier et la mutualisation accrue des fonds disponibles dans les organisations en sont les conditions principales.

2.3 L'investissement et la propriété individuelle

Les expériences communautaires en accession à la propriété posent la question de la pérennité de l'entreprise collective et de l'accessibilité à long terme des habitations. La réponse semble se situer dans l'application de règles de partage de la valeur ajoutée qui permettent de transmettre aux générations futures les avantages accordés aux premiers usagers. Ces choix ne sont pas intrinsèques aux formules étudiées ; chaque promoteur a cependant la responsabilité de les proposer. Outre le logement public et communautaire, des formules alternatives de logement collectif existent, comme les coopératives à capitalisation individuelle et les OSBL de gestion des copropriétés. Elles présentent aussi des avantages et des inconvénients.

2.3.1 Les coopératives à capitalisation

Bien que plusieurs formules coopératives d'habitation à capitalisation aient été expérimentées au Canada, nous avons circonscrit notre propos à deux formes qui se distinguent par la pérennité du statut de l'organisation coopérative[13] : la coopérative locative à capitalisation et la coopérative à droit superficiaire. Mais auparavant, nous indiquons en quoi les coopératives à capitalisation, d'une façon générale, diffèrent des coopératives locatives à possession continue qui constituent la très vaste majorité des coopératives au Québec et au Canada.

La coopérative d'habitation à capitalisation a généralement le même type de fonctionnement démocratique que la coopérative d'habitation locative à possession continue. Elle s'en distingue notamment par l'apport en capital que les membres doivent investir dans leur projet – et le gain qu'ils peuvent en tirer. Selon le modèle de la coopérative à capitalisation, une portion plus ou moins importante de la mise de fonds initiale doit être fournie par les membres. Le coût d'entrée sur le marché immobilier est donc assumé en bonne partie par le membre investisseur et non par une subvention publique ou collective (fédération, fonds de

---

13. Le caractère coopératif de certaines formules de coopératives à capitalisation est parfois éphémère : la formule coopérative proposée par *Quint Development* à Saskatoon permet aux membres de quitter la coopérative après avoir acquis les titres de propriété ; celle utilisée par *Options for Home* de Toronto ne dure que pour la période de construction (Gaudreault, 2004).

travailleurs, etc.). Cet apport initial constitue toutefois un risque plus élevé pour les membres fondateurs. Ces derniers doivent, par exemple, assumer les coûts d'achat du terrain et de sa mise en état de viabilité sans garantie de succès. Cela constitue une première rupture relativement à la coopérative d'habitation locative qui protège le membre dont le risque financier est limité aux seules parts sociales de qualification qu'il a investies pour se joindre à la coopérative.

Une deuxième rupture, découlant de la première, est la composition socioéconomique du sociétariat. Alors que près de 40 % des membres des coopératives locatives à possession continue reçoivent une subvention de type aide à la personne, les résidants de coopératives à capitalisation sont des ménages qui ont un actif à investir et qui ont généralement des revenus allant de moyens à élevés ou qui ont déjà possédé une maison (Dansereau et Baril, 2006).

Une troisième rupture se situe au plan de la propriété. Dans le cas de la coopérative locative à possession continue, les immeubles sont la propriété exclusive de la coopérative. Pour ce qui est de la coopérative à capitalisation, elle peut ne posséder qu'une partie des actifs immobiliers.

Nous présentons ici deux types de coopératives à capitalisation[14] : la coopérative d'habitation locative à capitalisation et la coopérative d'habitation à droit superficiaire. Dans chacun des cas, la coopérative possède des actifs collectifs mais dans une proportion différente.

La coopérative d'habitation locative à capitalisation : Nous n'avons pas identifié de coopérative d'habitation locative à capitalisation au Québec. Par contre, plusieurs projets ont été réalisés dans d'autres provinces canadiennes. Les premières sont apparues en Colombie-Britannique au cours des années 1980 (Gaudreault et Bouchard, 2002). Le but de ce type de coopérative est que les

---

14. Ces formules comportent des similitudes avec celles de la copropriété divise et de la copropriété indivise mais s'en distinguent notamment par l'encadrement juridique, la *Loi des coopératives*, qui prévoit l'égalité du vote entre les membres nonobstant sa part du capital détenu (« un membre, un vote ») et par l'obligation de faire usage des services de la coopérative (dans ce cas, y habiter).

membres puissent louer un logement à coût abordable, à condition d'avoir investi un capital important dans la coopérative, sous forme de parts sociales privilégiées. Les études de viabilité effectuées en Outaouais en 2004 indiquaient qu'«un investissement minimum de 50 000 $ par membre était requis pour chaque logement. La somme investie par les membres doit être suffisante pour permettre à la coopérative d'obtenir du financement hypothécaire de la part d'une institution financière» (FÉCHO, 2004). Selon cette formule, la coopérative demeure propriétaire des immeubles; les logements ne peuvent donc être revendus individuellement. Concrètement, le membre possède donc des parts dans une coopérative propriétaire d'un immeuble. Lors du départ d'un membre, la coopérative lui rachète ses parts et choisit un nouveau membre. Chaque coopérative doit déterminer le mode de fixation du prix de rachat. Certaines coopératives établissent des parts à valeur fixe, alors que d'autres accordent un rendement sur les parts investies. Considérant l'importance des montants à investir, ce modèle a surtout été retenu par des ménages retraités qui disposaient du capital généré par la vente d'une propriété.

La coopérative à droit superficiaire: Il s'agit d'une coopérative qui possède un terrain et dont les membres ont le droit d'y construire ou d'y acheter une résidence, soit une coopérative de propriétaires de logements qui possèdent collectivement un terrain. Les logements appartiennent en propriété exclusive aux membres résidants et, selon l'architecture des logements, ils peuvent également avoir la jouissance exclusive du terrain entourant leur résidence. «Le membre ne peut revendre son logement qu'à une personne qui est admise comme membre par la coopérative et qui signe devant un notaire une convention de droits superficiaires» (FÉCHO, 2004). Bien que les premiers projets de ce type aient été réalisés pour des ménages de personnes retraitées – la Coopérative d'habitation Les Jardins de Memphrémagog, comptant 32 logements, et la Coopérative d'habitation Rosemère, de 110 logements –, la coopérative à droit superficiaire s'adresse à diverses clientèles. La Coopérative d'habitation Nouvelle Vague, de Gatineau, se proposait d'ailleurs de réaliser un projet d'habitation multigénérationnel. Le financement initial – les sommes servant à l'achat et au développement des terrains – a été fourni par les membres, sous forme de parts privilégiées (Gaudreault, 2004b). Chaque membre a pu ensuite contracter un prêt hypothécaire pour compléter le financement de sa résidence, si cela était requis. Selon les projets, ils ont investi environ 20 000 $ chacun. Des fonds de préparation de projets ont également été octroyés par la SCHL pour aider au démarrage.

Le mouvement de l'habitation communautaire a périodiquement abordé le sujet des nouvelles formules avec investissement des membres (coopératives à capitalisation) et favorisant l'accumulation patrimoniale (coopératives-épargne) (voir le chapitre 1). Plusieurs fédérations régionales de coopératives d'habitation s'y sont intéressées au cours des dernières années (Outaouais, Québec–Chaudière-Appalaches, Montréal métropolitain), entre autres pour développer des logements pour personnes retraitées (SHQ, 2007). Or, les enjeux liés à l'accessibilité, à l'équité entre les générations successives d'occupants et aux effets de levier de telles formules (Bouchard, Roy et Dunn, 1995) demeurent toutefois encore des sujets de débats et le mouvement ne fait pas consensus à l'idée de développer d'autres formules que la coopérative d'habitation locative à possession continue.

2.3.2 L'accession à la copropriété abordable

L'expérience qui suit est encore récente au Québec[15] et a été développée par un OSBL. Cette initiative montre des mécanismes de financement novateurs qui permettent de développer des propriétés à bon marché et d'offrir aux seconds occupants, pendant les dix années qui suivent l'installation des premiers, les bénéfices économiques de l'opération. En 2006 et 2007, les Habitations communautaires Notre-Dame-de-Grâce (HCNDG), un OSBL montréalais, réalise en collaboration avec la Société d'habitation et de développement de Montréal (SHDM) un projet d'accession à la propriété qui allie financement externe et financement des usagers. Le programme AHA (Accession à l'habitation abordable)

---

15. Le projet a démarré en 2004 et on achève la rénovation des bâtiments en 2008.

a comme objectif d'acquérir et de rénover un bâtiment abandonné de 24 logements sur le site de Benny Farm[16] et d'offrir les unités en vente en copropriété indivise. Les résidants possèdent alors collectivement un immeuble mais détiennent individuellement un droit d'usage exclusif de leur logement. Chaque résidant peut contracter un prêt hypothécaire individuel pour le logement qu'il occupe. Le projet s'adresse à des ménages dont le revenu annuel se situe entre 30 000 $ et 75 000 $. Les travaux de rénovation ont été complétés et les logements ont été mis en vente en 2007.

Les promoteurs ont eu recours aux mises de fonds des acheteurs, aux subventions municipales d'aide à la rénovation ainsi qu'aux programmes favorisant l'utilisation de technologies écoénergétiques, dont la géothermie. Ces aides externes ont contribué à réduire le prix de vente de façon à ce que le prix payé par les premiers acheteurs soit sous le prix du marché. Au cours des dix premières années (donc jusqu'à 2018), lors de la revente d'un logement, le promoteur récupérera les subventions non gagnées et les remettra au nouvel acheteur de façon à prolonger le caractère abordable des logements. La copropriété sera gérée par un OSBL.

2.4 Les fonds de développement

La plupart des fonds de développement du logement communautaire sont apparus au début des années 1990 dans un contexte de diminution des aides publiques[17]. Les initiatives que nous décrivons ici sont d'origine communautaire (le Fonds Réunid et le Programme d'investissement coopératif), c'est-à-dire mixte,

---

16. Le site de Benny Farm fut aménagé en 1946 et 1947 dans l'esprit de la cité-jardin. L'ensemble Benny Farm contraste avec le voisinage par sa dimension, son implantation et ses nombreux espaces verts. Jusqu'en février 2004, on dénombrait 52 bâtiments de six logements chacun sur la partie du site visée par le réaménagement. Ces appartements ont surtout logé des anciens combattants jusqu'à ce qu'ils ne conviennent plus aux besoins des locataires. De 1998 à 2000, les locataires de Benny Farm ont été relogés dans quatre nouveaux édifices (247 unités) du site.

17. Quelques années avant l'arrêt du financement du gouvernement fédéral en 1993.

alliant différents partenaires communautaires, ou privés (le Fonds d'investissement de Montréal). Leur impact quantitatif sur la production de nouveaux logements a cependant été marginal.

2.4.1 Les fonds fédératifs de développement

Les fonds fédératifs de développement ont été créés dans un souci de recherche d'autonomie afin d'utiliser les leviers de financement interne du secteur tout en s'appuyant sur des formules innovantes. Plusieurs fédérations régionales de coopératives d'habitation ont mis en place des fonds régionaux de développement[18]. L'objectif est de regrouper une partie de l'épargne des coopératives afin d'accorder des prêts ou des garanties de prêts à de nouvelles coopératives en développement ou à des projets de coopératives existantes. Nous en décrivons deux exemples.

Le Fonds Réunid : Le Fonds Réunid a été créé dans la région de Québec en 1986 comme organisme sans but lucratif destiné au financement d'OSBL et de coopératives d'habitation. Un fonds de placement a été élaboré en partenariat avec la Caisse d'économie des travailleuses et travailleurs de Québec[19] afin de faciliter le développement de nouvelles organisations d'habitation en mettant la priorité sur des projets ne bénéficiant pas de programmes d'aide publique. Les placements des organisations participantes leur procurent un rendement accru sur leur épargne tout en offrant au Fonds une source de revenus (Gaudreault et Moreau, 2002). Les coopératives ou les OSBL ayant pour mission d'offrir du logement permanent à des familles à revenu modeste ont accès au Fonds et peuvent demander des emprunts hypothécaires ou des emprunts à court terme. Deux types de prêts ont été créés : un prêt complémentaire pour les projets de développement, grâce à un investissement de la Ville de Québec ; et un prêt pour les coopératives en difficulté offert par un fonds d'entraide intercoopératif, distinct du premier. Depuis 1986, le Fonds Réunid a

---

18. De tels fonds ont été créés en Outaouais (actifs de 1985 à 2003), dans le Montréal métropolitain, dans la région Québec–Chaudière-Appalaches et en Estrie.

19. Aujourd'hui la Caisse d'économie solidaire Desjardins (CESD).

permis la réalisation de quelque 350 logements, ce qui représente 1,5 M $, soit en moyenne 4 285 $ par logement (Gaudreault, 2004b).

Le Régime d'investissement coopératif (RIC): En 1991, la Fédération des coopératives d'habitation de Montréal (aujourd'hui la FÉCHIMM) met en place le Régime d'investissement coopératif (RIC). Les coopératives membres de la fédération peuvent y participer sur une base volontaire. Le RIC est constitué de deux fonds : le Fonds de développement et le Regroupement de placements. Le Fonds de développement a pour objectif d'octroyer des prêts sur hypothèque à des organismes directement engagés dans le développement de coopératives d'habitation, à de nouvelles coopératives ou à des projets d'agrandissement de coopératives existantes. Ce fonds est constitué de parts privilégiées de différents montants offertes initialement à trois catégories d'investisseurs : les individus[20], les coopératives et les corporations. Les coopératives emprunteuses bénéficient d'un taux d'intérêt relativement bas par rapport au marché. Les prêts sont amortis sur une période de 10 ans. À la suite du remboursement de leur prêt, les coopératives ont l'obligation d'investir dans le Fonds à hauteur de 50 % de la valeur de leur prêt initial. Le deuxième fonds est le Regroupement de placements, qui a pour objectif de regrouper une partie de l'épargne des coopératives, des corporations et des particuliers « pour le faire fructifier de façon avantageuse et sécuritaire » (FÉCHIM, 1996 : 1). Cependant, cet avantage financier est assorti d'une contrepartie de solidarité : les coopératives qui souhaitent adhérer au Regroupement sont obligées de participer au Fonds de développement. Le RIC a permis d'agrandir des coopératives existantes (ajout d'unités de logements) et de compléter les montages financiers de nouveaux projets. Des prêts à hauteur de 154 000 $ ont contribué à la réalisation de deux projets regroupant 39 logements, soit un investissement s'élevant à 3,4 M $ (Gaudreault, 2004a).

Ces fonds ont eu des effets positifs sur le développement des nouveaux projets de coopératives et d'OSBL d'habitation et ont

---

20. Cette catégorie a été supprimée en 1999.

aussi permis d'agrandir certains autres projets. Mais leurs résultats demeurent modestes. Bien sûr, ces fonds ont été créés en complément des autres produits financiers et, même si leur impact n'a pas été très significatif, une formule permettant de canaliser l'épargne dans les coopératives a été mise en place. Il serait pertinent d'évaluer la capacité réelle des organisations d'habitation communautaire à dégager de l'épargne, et les raisons, le cas échéant, qui limitent son utilisation pour le développement du secteur.

2.4.2 La société en commandite

À la suite du Sommet sur l'économie et l'emploi en 1996, le Fonds d'investissement de Montréal (FIM) a été créé en 1997 sous la forme de société en commandite. Les commanditaires[21] sont des organismes privés et institutionnels[22] qui y investissent du «capital patient» (de longue durée et à rendement moindre). Les prêts consentis aux organisations de logement communautaire servent de mises de fonds garanties par une hypothèque de second rang qui doit être remboursée sur une période d'au plus 15 ans. Le rendement interne du FIM, lors de sa première phase de réalisation, devait se situer entre 4% et 6% pour être viable et rentable pour l'investisseur. Les sommes investies sont gérées par le commandité, Gestion Fonds d'investissement de Montréal Inc., qui dispose d'une certaine liberté pour choisir les projets soutenus. Afin de limiter la responsabilité des investisseurs et d'éviter qu'ils ne se retrouvent à gérer des immeubles non viables, trois enjeux ont été pris en compte. Le premier est la dotation en ressources techniques : le développement des projets d'habitation a été confié à une ressource externe spécialisée, le GRT Bâtir son quartier. Le deuxième concerne les coûts de réalisation, qui doivent rencontrer

---

21. Par commanditaires, on entend «des investisseurs dont la responsabilité civile est limitée à leur mise de fonds en autant qu'ils n'interviennent pas dans la gestion de la société en commandite. Leur rôle se limite à souscrire un montant déterminé et à libérer les fonds lors d'un appel de capital, le moment venu, selon les termes de la convention établie» (Gaudreault *et al.*, 2004 : 13).

22. Parmi les souscripteurs, mentionnons le Fonds de solidarité FTQ, la Banque Nationale du Canada, la Fédération des caisses Desjardins du Québec, la Banque Royale du Canada, Hydro-Québec et Investissements Claridge ltée.

des critères de viabilité et un budget type. Le dernier enjeu a trait à la propriété des immeubles qui, une fois rénovés, deviennent la propriété d'OSBL et de coopératives d'habitation.

Selon ses fondateurs, « le FIM est le seul outil qui permet aux institutions privées d'investissement de participer à l'amélioration de leur quartier, des conditions de vie et du logement des personnes » (FIM, 2001 : 3). Ce type de partenariat privé-public-communautaire est une première pour les établissements privés. Le premier volet du FIM a permis d'octroyer 4 M$ en prêts qui ont contribué à la rénovation de 302 logements : 276 logements détenus par des OSBL d'habitation et 26 logements appartenant à des coopératives d'habitation. En 2007, les investisseurs y ont injecté plus de 4,3 M$. Le FIM souhaite ainsi se recapitaliser afin de permettre de nouveaux investissements.

2.5 Les fiducies foncières

Bien que peu de fiducies foncières aient vu le jour au Québec, elles constituent une solution à envisager pour assurer la conservation à long terme de la mission sociale du parc d'habitation communautaire. Dans certains cas, la fiducie foncière peut être utilisée dès la phase de développement des projets, mais les expériences recensées jusqu'à maintenant ne sont pas concluantes.

Une fiducie foncière est un organisme sans but lucratif établi pour détenir des terrains destinés principalement à des coopératives d'habitation sans but lucratif, mais elle peut aussi s'appliquer à des projets d'OSBL d'habitation. Elle a pour mission d'assurer le maintien et la pérennité du parc existant, tout en préservant à long terme le statut coopératif et sans but lucratif des projets ainsi que le coût abordable des loyers. La fiducie détient ces terrains en propriété directe ou en contrôle leur utilisation pour le bien commun de la communauté des individus qui la composent. La coopérative ou l'OSBL d'habitation cède son terrain à une fiducie, qui en retour lui fournit un bail. Les droits s'en trouvent partagés : la fiducie est propriétaire et la coopérative ou l'OSBL garde le droit d'occuper le terrain et de le gérer. Selon ses promoteurs, une telle formule rend l'ensemble immobilier quasi-inaliénable.

La fiducie foncière ne constitue donc pas en soi un mode de financement ou d'apport autonome en capital. Elle est avant tout une forme de détention d'actifs à des fins prédéterminées et constitue un exemple de gouvernance impliquant la communauté au sens large. Les fiducies existantes au Canada et aux États-Unis ont d'ailleurs la plupart du temps obtenu leur financement de sources externes. Au Canada cependant, certaines fiducies foncières ont été utilisées en premier lieu comme outil de développement. C'est le cas de la fiducie Colando Co-operative Homes Inc., créée par la Fédération des coopératives d'habitation de Toronto, qui a reçu un don de 2 M$ de Campeau Corporation[23], ce qui lui a permis d'acquérir des terrains et d'y construire 2 425 logements. Ces terrains ont ensuite été loués à long terme aux coopératives. La fiducie connut toutefois de graves difficultés financières au moment de la crise immobilière du début des années 1990. Elle a conservé une existence légale mais les coopératives, qui considéraient que son fonctionnement leur coûtait trop cher, ont enregistré une notification d'opposition sur leurs titres de propriété (*caveat emptor*) afin d'en conserver durablement le caractère sans but lucratif (Mendelson, 2006). Une autre initiative, la Community Housing Land Trust Foundation en Colombie-Britannique, a aussi tenté de transférer en fiducie les terrains de coopératives existantes. Mais ce fut sans succès car le but recherché des coopératives était d'être reconnues, de ce fait, comme organismes de bienfaisance (qui permet d'émettre des reçus pour dons de charité), ce qui n'a pas été accordé en vertu des lois existantes (*The Community Housing Land Trust Foundation*, 1999).

Le projet de fiducie foncière qui a connu le plus de succès au Canada est celui de la Communauté MiltonParc à Montréal, constitué de plus de 600 unités de logements. Cette fiducie a été créée en 1987 à la suite de plus de dix ans de mobilisation citoyenne[24]. Elle se différencie des autres fiducies foncières car elle est constituée par une loi privée qui allie la copropriété divise des

23. Campeau Corporation est une société immobilière canadienne.
24. Pour plus d'informations sur cette mobilisation, se référer à : www.miltonparc.org.

bâtiments et la copropriété indivise des terrains. Gérée par un conseil d'administration composé de représentants de coopératives d'habitation et d'OSBL de logements du quartier, cette fiducie a une structure de propriété unique au Québec.

Bien que la fiducie foncière soit considérée par certains comme « un véhicule efficace de détention permanente de terrains à des fins d'habitation abordable » (CQCH, 2006 : 31), la création de nouvelles fiducies demeure très marginale.

2.6 Le potentiel du Fonds québécois d'habitation communautaire

Au moment où nous écrivons ces lignes, le Fonds québécois d'habitation communautaire (FQHC) n'a encore contribué au financement d'aucun projet. Toutefois, l'innovation qu'il représente, tant par sa gouvernance que par l'importance du capital qu'il rendra disponible au cours des prochaines années, nous incite à en faire état.

Depuis la création du FQHC en 1997[25], des mécanismes ont été prévus afin d'assurer que les organismes – coopératives, OSBL et OH – bénéficiant des programmes gouvernementaux d'aide à la réalisation de logements communautaires contribuent à son financement, dans le but d'appuyer le développement de nouveaux projets de logements communautaires. Pour les projets conçus à l'aide des programmes AccèsLogis et Logement abordable Québec – volet social et communautaire, une contribution équivalente au capital remboursé au cours des 10 premières années sera faite au Fonds au moment où l'organisme refinancera son projet (10ᵉ année d'exploitation). Selon les hypothèses actuelles, le Fonds pourrait recueillir ainsi jusqu'à 117 M$ au cours des prochaines années, soit d'ici 2017[26].

---

25. Pour plus de précisions sur le Fonds québécois d'habitation communautaire, voir le chapitre 2.

26. Il s'agit de données partielles, puisque les mécanismes de contribution s'appliquent aux projets réalisés en bénéficiant notamment du programme AccèsLogis, lequel en 2008 continue de soutenir le développement de nouveaux logements communautaires.

Les mécanismes d'approvisionnement du Fonds lui confèrent un avantage de taille. D'une part, la contribution au FQHC n'est pas « facultative », le montant de la contribution et son versement étant prévus à même le cadre normatif des programmes d'aide concernés et inclus dans l'accord d'exploitation intervenu entre la SHQ et l'organisme. Ainsi, la contribution ne relève pas de la volonté de l'organisation de participer à un projet collectif, comme c'est le cas par exemple pour les fonds fédératifs (voir la section 2.4.1). Cela permet au Fonds de percevoir les contributions[27] et de les regrouper dans un seul véhicule financier.

Toutefois, la nature même de la contribution, liée au refinancement du projet à la dixième année, permet d'anticiper un versement en capital significatif. Des premiers calculs, basés sur les moyennes de contributions attendues, nous permettent d'estimer à environ 7 850 $ par unité la contribution versée au FQHC. Puisqu'en juin 2008 on évalue que le parc de logements réalisé ou en voie de réalisation par l'intermédiaire des deux programmes comptera plus 27 200 unités, le Fonds devrait avoir un impact très significatif.

Le Fonds québécois de l'habitation communautaire sera un acteur financier qui interviendra en complémentarité avec d'autres sources de financement, à l'exclusion des programmes gouvernementaux de soutien au développement du logement social et communautaire. Son rôle sera d'agir dans le développement du logement communautaire par la construction de nouvelles unités ou par l'ajout d'infrastructures aux projets existants. Il soutiendra

---

27. Les dispositions des accords d'exploitation relatives à la contribution au Fonds prévoient que « le calcul de cette contribution sera établi par la Société en consultation avec l'Organisme après qu'elle aura inspecté ou fait inspecter l'ensemble immobilier afin de déterminer le coût des travaux essentiels à être réalisés par l'Organisme pour les cinq (5) prochaines années, après avoir vérifié l'état des réserves de remplacement et autres réserves à partir des deux derniers états financiers vérifiés et après avoir examiné l'ensemble de la situation financière de l'Organisme. Selon le cas, le montant reconnu par la Société à être versé au Fonds pourra être inférieur à celui indiqué à l'alinéa précédent. » Le versement d'un montant inférieur demeure exceptionnel et le Fonds a formulé à la SHQ des propositions permettant de garantir une contribution maximale sans compromettre la capacité des organismes à réaliser les travaux requis.

également la consolidation de ce parc locatif, notamment par le financement de travaux majeurs, de travaux de mise aux normes, etc.

Bien qu'il souhaite être accessible à l'ensemble des organismes qui ont réalisé des logements communautaires, le Fonds aura comme condition d'admissibilité à ses prêts une contribution à l'organisme. On étudie actuellement le niveau de contribution attendue et les modalités de versement pour des organisations dont les programmes ne prévoyaient pas, au départ, la participation au Fonds. Cela pourrait également conduire à l'offre de conditions de prêts différenciées selon le type de contribution prévue.

En fait, avec la mise en œuvre de l'offre de financement du Fonds québécois d'habitation communautaire, c'est la concrétisation d'un «vieux» rêve du secteur de l'habitation communautaire qui prend forme : la possibilité de disposer d'une source de financement pourvue de capitaux relativement importants et qui ne dépendent pas d'une volonté, toujours à reconfirmer, des pouvoirs publics – du moins pour les unités soumises au cadre normatif actuel.

Conclusion

Le secteur du logement communautaire est le fruit d'une régulation mixte qui répond en partie aux signaux du marché, qui favorise l'accessibilité à une fraction des résidants (le segment moins solvable de la demande) en canalisant des aides publiques, et qui s'appuie à long terme sur la société civile pour la prise en charge des organisations par une base associative.

Le financement des projets d'habitation communautaire est une question complexe pour trois raisons principales. Au départ, ces projets requièrent une action relativement rapide sur les marchés alors que les organismes promoteurs n'ont pas encore réuni tout l'argent nécessaire pour engager des professionnels ou faire la mise de fonds. Ensuite, comme dans tout projet immobilier, il s'agit d'actifs dont le coût d'acquisition est plus important que ce que défrayera la première génération d'occupants pour rembourser la dette, ce qui nécessite des outils de financement à long terme. En contrepartie, la valeur des actifs a également une grande longévité, permettant à plusieurs générations de résidants d'en bénéficier. Enfin, les coopératives et les OSBL d'habitation communautaire au Québec souhaitent favoriser la mixité socioéconomique des populations résidantes, notamment l'accès à des ménages à faible revenu.

Les étapes initiales du projet sont financées à l'aide de prêts de démarrage sous forme d'avances sur le prêt hypothécaire ou de capital de développement et, depuis peu, par des contributions du milieu, entre autres les municipalités. La phase d'exploitation est soutenue par des prêts sur hypothèque à long terme et sur des garanties et assurances en cas de défaut de paiement. L'aide publique à la pierre et le volontariat (usagers et citoyens) permettent de réduire les coûts d'opération des ensembles immobiliers, et l'aide à la personne vient soutenir le paiement du loyer de ménages à faible revenu. Les ensembles immobiliers sont le résultat d'investissements collectifs de diverses natures : les aides publiques, les heures de travail gratuit des membres de la communauté, les loyers payés à chaque mois à l'organisation par les occupants, les dons et autres contributions fournis par les milieux locaux, communautaires et caritatifs.

Certains aspects méritent d'être notés concernant les phases de démarrage et de réalisation des projets. D'une part, on est passés avec les années d'une contribution importante au démarrage des projets en « temps et sueur » des bénévoles combinée à des ressources financières (subventions et prêts) provenant des sociétés d'État fédérale ou provinciale (années « pionnières ») à une contribution financière (prêt, subvention ou don) du milieu local : municipalités, fondations privées, organismes de développement local, fédérations. Cette modalité décentralise vers des acteurs locaux et non gouvernementaux une partie du soutien à l'habitat communautaire auparavant consenti par de la solidarité centrale (étatique) et de proximité (entre voisins). Or, l'intérêt des milieux locaux pour les projets d'habitation communautaire peut fluctuer, soit parce que ces derniers représentent un taux d'effort trop élevé pour les milieux moins nantis, soit parce qu'eux-mêmes sont peu accueillants aux projets de logements communautaires (syndrome du « pas-dans-ma-cour »). Remplacer par du financement public et communautaire le fort engagement requis des « pionniers », en particulier dans les coopératives d'habitation, est certes plus équitable envers les générations suivantes d'occupants, mais il faudrait évaluer le coût d'opportunité d'une telle appropriation initiale des projets par leurs locataires. Une régulation centrale des subventions publiques est encore nécessaire afin d'assurer un développement équitable du secteur.

D'autre part, le choix de la propriété collective, qui permet de développer des ensembles de logement locatif, peut, à terme, être remis en question par les administrateurs qui les gèrent, de manière consciente ou inconsciente. La convention entre la société d'État et l'organisation agit comme gardien de la mission sociale des organisations, du moins jusqu'au remboursement du prêt hypothécaire. La pérennité est aussi en principe garantie par les statuts juridiques de la coopérative et de l'association (organisme sans but lucratif). Les conventions d'exploitation avec les sociétés d'État (SCHL ou SHQ) arrivent à terme à la fin du remboursement du prêt hypothécaire. Cela pose la question des conditions dans lesquelles les organisations d'habitation assureront leur avenir, soit le financement des travaux d'entretien majeur des bâtiments et la pérennité de leur mission sociale. En somme l'un des deux enjeux à long terme sera la conservation de ces attributs patrimoniaux et sociaux du logement communautaire. L'autre enjeu sera, évidemment, de continuer de développer le parc afin qu'il réponde aux nouveaux besoins de logement à prix abordable ainsi qu'au mode de vie de leurs occupants (aînés, familles monoparentales, nouveaux ménages, etc.).

Les divers modes de financement alternatifs présentés ici comportent des aspects novateurs et présentent, à des degrés divers, des éléments de solution à long terme à une demande de logements communautaires encore aujourd'hui plus forte que l'offre. Les formules mobilisent des ressources qui sont privées (individus, ménages, banques, entreprises) ou collectives (organisations d'habitation communautaire, fonds publics). Elles misent sur des mécanismes volontaires (dons, épargne) ou obligatoire (loyer majoré, taxes, remboursement du prêt au moment du refinancement). Elles visent principalement la première génération d'occupants (coopératives à capitalisation, OSBL d'accession à la propriété abordable) ou le soutien du développement d'un parc durablement abordable (Coop des Cantons-de-l'Est, fiducies foncières, Fonds québécois d'habitation communautaire). Les acteurs du mouvement de l'habitation communautaire, leurs partenaires et les gouvernements ont jusqu'ici développé divers outils de financement adaptés; il y a fort à parier que ce dynamisme donnera lieu à de nouvelles trouvailles qui permettront au secteur de se développer et de conserver sa vocation communautaire.

Bibliographie

AGRTQ, CQCH et FHCC (1995). *Les actes du séminaire sur la fiducie foncière, 31 mars et 1ᵉʳ avril 1995*, Montréal, Association des groupes de ressources techniques, Confédération québécoise des coopératives d'habitation, Fédération de l'habitation coopérative du Canada.

Beauvais, C. et D. Cécile (2002). *Analyse de politiques publiques. La politique fédérale sur le logement abordable*, Gatineau, École nationale d'administration publique.

Bergeron, R. (s.d.). *Formation et partage de la valeur en immobilier résidentiel: esquisses théoriques*, S. l., manuscrit.

Bostwick, M. (1992). *Guide pour la mise sur pied de coopératives pour personnes âgées financées par les membres résidants*, Ottawa, Columbia Housing Advisory Association, pour la Fédération de l'habitation coopérative du Canada.

Bouchard, M. J. (2006). «De l'expérimentation à l'institutionnalisation positive, l'innovation sociale dans le logement communautaire au Québec», *Annales de l'économie publique, sociale et coopérative*, vol. 77-2, p. 139-165.

Bouchard, M. J. et R. Bergeron (1993). «Projet de recherche: Pertinence et faisabilité d'une formule de coopérative d'habitation fondée sur l'équité», *Coopératives et développement*, vol. 24, n° 2, p. 113-123.

Bouchard, M. J., S. Rondot, S. van Schendel et V. van Schendel (2002). *Symposium sur le financement du logement communautaire, le 25 février 2002*, Montréal, UQAM, ARUC-ÉS, n° T-02-2003.

Bouchard, M. J., G. Roy et D. Dunn (1995). *Coopérative-Équité: Problématique, contraintes réglementaires et motivation des membres*, Montréal,

École des Hautes Études Commerciales, Centre de gestion des coopératives, 95-14.

Bouchard, M. J. (dir.), D. Rousselière, C. Ferraton, L. Koenig et V. Michaud (2008). *Portrait statistique de l'économie sociale dans la région administrative de Montréal*, Montréal, UQAM, Chaire de recherche du Canada en économie sociale, n° H-S 2008-01.

Bourque, G. L. (2000). *Le modèle québécois de développement. De l'émergence au renouvellement*, Québec, Presses de l'Université du Québec.

Bousquet M. et la Table des directeurs généraux de la CQCH (2005). *État de santé des coopératives d'habitation dans les régions fédérées au Québec*, rapport préliminaire.

CQCH (2006). *Actes du colloque « La fin des accords d'exploitation : défis et opportunités pour les coopératives d'habitation québécoises »*, Québec, Confédération québécoise des coopératives d'habitation, 25 et 26 novembre 2006.

Dansereau, F. et G. Baril (2006). *La participation des aînés à la conception et à la gestion des projets résidentiels au Québec*, Québec, Société d'habitation du Québec, mars 2006.

Ducharme, M.-N. et Y. Vaillancourt (2002). *Portrait des organismes sans but lucratif d'habitation sur l'île de Montréal*, Montréal, UQAM, Cahiers du LAREPPS, n° 02-05.

Ducharme, M.-N. et F. Vermette (2007). *Notes d'un entretien mené par A. Gaudreault et N. Decroix*, Montréal, RQOH, 11 juillet 2007.

FÉCHIM (1996). *Programme d'investissement coopératif – Règlement du Regroupement de placements*, Montréal, Fédération des coopératives d'habitation du Montréal métropolitain, 16 novembre 1996.

FÉCHO (2004). *Document promotionnel de la Fédération des coopératives d'habitation de l'Outaouais*, 2004.

FIM (2001). *Bilan et perspectives*, Montréal, Fonds d'investissement de Montréal, novembre 2001.

Fortin, Y. (1985). *Coopérative d'habitation avec capitalisation individuelle*. Société d'habitation Desjardins, Groupe de tâches en habitation, juillet 1985.

Gaudreault, A. (2004a). *Le potentiel de financement autonome des coopératives d'habitation du Québec*, étude réalisée pour la Confédération québécoise des coopératives d'habitation.

Gaudreault, A. (2004b). *Production de logements coopératifs autofinancés (extraits)*, Gatineau, étude de marché et étude de faisabilité réalisées pour la Fédération des coopératives d'habitation de l'Outaouais, mai 2004.

Gaudreault, A. (2006). *Le parc de logements sociaux communautaires existants et ses besoins en termes de consolidation et de développement : Rapport d'étape sur l'ampleur des besoins et sur les interventions potentielles du Fonds québécois d'habitation communautaire*, Québec, Fonds québécois d'habitation communautaire.

Gaudreault, A. (2006). *Fin des accords d'exploitation : défis et opportunités pour les coopératives d'habitation québécoises*, étude réalisée pour la Confédération québécoise des coopératives d'habitation.

Gaudreault, A., P. Adam, A. DeSerres et M. J. Bouchard (2004a). *La coopérative d'habitation des Cantons-de-l'Est*, Montréal, UQAM, ARUC-ÉS, n° R-02-2004.

Gaudreault, A., P. Adam, A. DeSerres et M. J. Bouchard (2004b). *Le Fonds d'investissement de Montréal*, Montréal, UQAM, ARUC-ÉS, n° R-03-2004.

Gaudreault, A. et S. Moreau (2002). *Études des revenus dédiés et de fonds fiduciaires pour le logement*, Rapport final présenté au Fonds dédié à l'habitation communautaire de Montréal.

Gaudreault, A. et M. J. Bouchard (2002). «Le financement du logement communautaire : évolution et perspectives», dans M. J. Bouchard, S. Rondot et V. van Schendel, *Actes du Symposium sur le financement du logement communautaire*, Montréal, UQAM, ARUC-ÉS, n° T-02-2003.

Groupe de ressources techniques Bâtir son quartier et Institut d'urbanisme de l'Université de Montréal (2006). *Les outils de financement du logement communautaire et l'action possible du Fonds québécois d'habitation communautaire*, Rapport final présenté au Fonds québécois d'habitation communautaire, février 2006.

Guérard, C., M. Laflamme et P. Prévost (1983). *Développement et gestion des coopératives d'habitation*, Québec, Ministère des Institutions financières et Coopératives, Direction des associations coopératives.

Hulchanski, D. J. (2001). *A Tale of Two Canadas. Homeowners Getting Richer, Renters Getting Poorer*, Toronto, Université de Toronto, Centre for Urban and Community Studies.

Hulchanski, D. J. (2002). *Housing Policy for Tomorrow's Cities*. Discussion Paper F/27, Family Network, Réseaux canadiens de recherche en politiques publiques.

Mendelson, M. (2006). *Building assests through housing.* Ottawa, Caledon Institute of Social Policy et Canadian Housing and Renewal Association.

Plante, D. (2006). *Le financement autonome des coopératives d'habitation : contraintes, opportunités et potentialités,* contribution au chapitre sur le financement de l'habitat coopératif et communautaire, manuscrit, septembre 2006.

Poulin, A., en collaboration avec C. Rozycki (1991). *Étude exploratoire de trois modèles de coopératives d'habitation à capitalisation.* Montréal, École de Hautes Études Commerciales, Centre de gestion des coopératives, n° 91-2.

RQOH (2007). *Actes du colloque « Parce que l'avenir nous habite »,* Montréal, Réseau québécois des OSBL d'habitation, janvier 2007.

RQOH (2004). *Pour un programme de financement du soutien communautaire en OSBL d'habitation,* Montréal, Réseau québécois des OSBL d'habitation.

SCHL (s.d.). *Le point sur la recherche,* Série socioéconomique n° 59, http://dsp-psd.pwgsc.gc.ca/Collection/NH18-23-59F.pdf, site consulté le 1er juillet 2008.

SHQ (2007). *L'habitat en bref,* Québec, Société d'habitation du Québec, n° 34, février 2007.

Sylvestre, P. et M. Leduc (1978). *Coopératives d'habitation : études de quelques formules,* Montréal, École des Hautes Études Commerciales, Centre de gestion des coopératives, n° S-78-6.

The Community Housing Land Trust Foundation (1999). *The Community Housing Land Trust Foundation, Case Study,* Vancouver, The Community Housing Land Trust Foundation.

CHAPITRE 4

Apport social et économique du logement communautaire

YSABELLE CUIERRIER, WINNIE FROHN ET MARCELLIN HUDON

Introduction

Pour tous les individus, le logement est un besoin fondamental et, pour la plupart des ménages au Québec, il représente un poste budgétaire important[1]. Plus qu'un simple abri ou un investissement financier, le logement est une source de stabilité, un noyau du réseau social et un refuge. L'habitation comporte trois dimensions : matérielle, symbolique et spatiale (Dunn, 2002). La première concerne l'intégrité physique et les coûts ; la deuxième, le statut social, l'identité, le contrôle et le sentiment d'appartenance ; et la troisième, la proximité d'éléments positifs ou négatifs tels le travail, l'école, les services et la pollution. Ainsi, le logement joue un rôle multiple. Il est autant un point d'ancrage dans la société et dans l'espace qu'un lieu d'intimité et de créativité. Signe du statut social, il influence la construction identitaire. En effet, pour les populations marginalisées, avoir une adresse contribue à

---

1. En 2005 au Québec, le logement représente 17,6 % des dépenses courantes pour l'ensemble des ménages, 21,6 % des dépenses pour les ménages locataires, 18,8 % pour les propriétaires avec hypothèque et 11,8 % pour les propriétaires sans hypothèque. Source : Statistique Canada, Enquête sur les dépenses des ménages. Compilation des données : Institut de la statistique du Québec.

l'intégration sociale ne serait-ce que pour recevoir le courrier. Le logement constitue une base pour des relations sociales, il facilite les échanges ainsi que la construction et le maintien de réseaux sociaux.

Rappelons que le logement social, au sens large, permet à la population moins nantie d'avoir accès à un logement décent et abordable. Alors qu'il ne se construit plus de logements publics de type habitation à loyer modique (HLM) depuis 1994, le logement communautaire continue à répondre au besoin de se loger adéquatement à moindre coût, besoin qui est peu ou mal comblé par le marché privé. Le logement communautaire, tel qu'il s'est développé au Québec, est fondé sur la propriété collective des actifs immobiliers et l'usage privé des logements. Le coût du loyer est en général en deçà du niveau moyen des loyers du marché. De plus, les coopératives et les organismes sans but lucratif (OSBL) d'habitation créent une alternative aux modes de propriété publique et privée puisque le logement communautaire vise non seulement à combler des besoins en logement, mais aussi à répondre, entre autres, à des aspirations de solidarité. Les modalités d'organisation et de réglementation varient selon les programmes de subvention[2]. Tandis que certains programmes visent une mixité sociale du point de vue des revenus des résidants, d'autres ont des objectifs plus spécifiques, notamment en ce qui concerne les services fournis et les populations visées.

En général, le logement communautaire offre la possibilité de produire des bénéfices sociaux importants tels que l'*empowerment*, et ce, de diverses manières, que ce soit par la vie coopérative ou par des services de soutien communautaire, ces derniers étant principalement présents dans les OSBL d'habitation[3].

Le présent chapitre a pour objectif de souligner l'apport non seulement social, mais aussi économique du logement communautaire. À cette fin, nous allons relever les impacts du logement communautaire pour les individus et pour la société. Le chapitre

---

2. Pour la présentation des différents programmes, voir les chapitres 1 et 2.
3. Pour des précisions sur le soutien communautaire dans les OSBL, voir le chapitre 5.

sur l'histoire des coopératives et des OSBL d'habitation a clairement démontré l'importance de ce mouvement sur les lois et les
politiques gouvernementales. C'est pourquoi il n'en sera pas question ici. La contribution économique du bénévolat ne sera pas
traitée non plus, non pas parce qu'elle n'est pas considérable, au
contraire, elle est partout, notamment dans l'administration, la
gestion et l'animation sociale, mais plutôt parce que cet aspect n'a
pu être approfondi à notre satisfaction.

Nous allons d'abord traiter de la mutation du marché de l'habitation, du droit au logement et de la place du logement communautaire. Par la suite, dans la section sur les impacts sociaux, nous
verrons comment le logement a des effets sur l'*empowerment*, la
santé, l'intégration sociale, la mixité et le territoire. Enfin, dans
la partie traitant des impacts économiques, nous ferons état des
répercussions du logement communautaire sur le coût du loyer,
l'emploi, les coûts de réalisation, l'actif, le milieu ainsi que l'insertion en emploi.

1. La mutation du marché, le droit au logement et le logement communautaire

Le marché de l'habitation est en pleine mutation. En effet, qu'il
s'agisse du logement privé à but lucratif ou du logement communautaire, les demandes et les besoins des résidants évoluent ; pensons
par exemple à ceux des familles reconstituées, des personnes âgées
et des personnes vivant seules. Une façon d'analyser le marché de
l'habitation est de distinguer les résidants selon leur statut d'occupation, à savoir les propriétaires et les locataires. En effet, les conditions sociales et économiques de ces deux groupes diffèrent.

Au Québec, le logement locatif ne représente plus que 39,8 %[4]
des logements en 2006, comparativement à 52,6 % en 1971. Cependant, les grandes villes[5] ont, pour la plupart, une plus grande

---

4. Les données dans ce paragraphe sont tirées de Statistique Canada, Recensement
de 1971, de 1991, de 1996, de 2001 et de 2006.
5. Les grandes villes québécoises sont celles de 100 000 habitants et plus,
soit Gatineau, Laval, Lévis, Longueuil, Montréal, Québec, Saguenay, Sherbrooke
et Trois-Rivières.

proportion de locataires, bien que le pourcentage de propriétaires y augmente aussi. Par exemple, des neuf (9) grandes villes québécoises, c'est à Montréal que le taux de locataires est le plus élevé à 66 %, suivi de Sherbrooke à 51 % et de Québec à 48 %. Les six (6) autres villes ont un taux de locataires variant de 47 % à 30 %. Entre 1991 et 2006, des 550 000 nouveaux logements construits au Québec, seulement 18 %, incluant les logements communautaires, étaient locatifs. Le mode d'occupation évolue rapidement depuis 30 ans, et nous sommes actuellement dans un système économique qui privilégie le statut de propriétaire aux dépends de celui de locataire.

De plus, non seulement y a-t-il eu diminution de la proportion de logements locatifs dans le parc résidentiel, mais il faut souligner que le marché résidentiel locatif sert, en général, une population à revenu modeste ou faible. Selon Statistique Canada, en 2005, le revenu médian après impôt des ménages propriétaires est presque le double du revenu des ménages locataires, 50 500 $ comparativement à 26 300 $ (voir le graphique 4.1).

Ainsi, entre 1990 et 2005, le revenu médian au Québec a augmenté de 2,6 % chez les propriétaires et baissé de 0,8 % chez les locataires. Le taux d'effort représente un autre indice de la pauvreté relative des locataires : 35,5 % d'entre eux consacrent plus de 30 % de leur revenu au logement[6], comparativement à seulement 13,8 % chez les propriétaires. Un autre indicateur de la situation précaire en matière de revenu est la dépendance aux transferts gouvernementaux (assurance-emploi, rente, pension de vieillesse ou revenu provenant de source publique) ; elle est plus élevée chez les locataires. En effet, selon les données de l'Institut de la statistique du Québec, en 2005, 23,1 % des locataires étaient dépendants de ces transferts contre seulement 11,5 % des propriétaires.

L'écart du revenu médian entre les ménages locataires et propriétaires s'explique, en partie, par le fait que les locataires devien-

---

6. Pour être en situation de « besoin impérieux en logement », un ou plusieurs des facteurs suivants doivent être présents : la salubrité, le surpeuplement et le caractère abordable. C'est ce dernier critère qui est le plus fréquent selon des études de la Société canadienne d'hypothèques et de logement (SCHL).

Graphique 4.1

**Revenu réel médian après impôt des ménages
selon le mode d'occupation, Québec, 1990-2005**

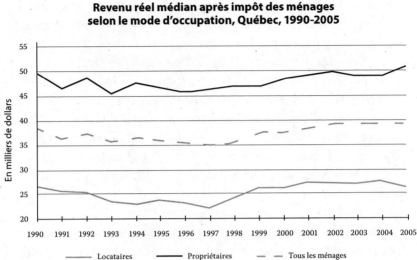

Note : en dollars constants de 2005.
Source : Statistique Canada, *Enquête sur les finances des consommateurs, 1990-1995* et *Enquête sur la
dynamique du travail et du revenu,* 1996-2005.
Tiré de www.cmhc-schl.gc.ca/fr/inso/info/obloca07/tadedo/tadedo_012.cfm.

nent propriétaires dès que cela leur est possible. Cette tendance
est soutenue par des politiques publiques favorisant l'accession à
la propriété telles que l'assurance hypothécaire, les subventions à
l'achat, les congés de taxes et d'impôts, etc. Les ménages qui
demeurent locataires en raison de leur revenu forment alors un
groupe au profil socioéconomique moins favorisé.

Outre la diminution de la part du marché locatif et des
revenus des ménages locataires, d'autres facteurs influent ce
marché. Par exemple, les investisseurs portent peu d'intérêt à la
construction de nouveaux logements locatifs car ceux-ci sont
moins rentables que les logements pour propriétaires-occupants.
De plus, certains propriétaires de logements locatifs peuvent
réclamer des niveaux de loyer élevés lorsque l'offre est faible ou
couper dans les dépenses d'entretien et de rénovation. Ces facteurs
ont des impacts négatifs tant pour les locataires à faible revenu
que pour la vitalité des centres-villes et les milieux ruraux. Dans
la mesure où le secteur privé est le plus important pourvoyeur de

logements locatifs, cette situation a des conséquences pour l'ensemble de la société. Dans ce contexte, le logement communautaire en tant qu'alternative au logement locatif privé permet de remédier en partie à ces situations.

Malgré une certaine réglementation publique (Régie du logement, *Loi de conciliation entre propriétaires et locataires*, Code civil, etc.), le marché reste le mécanisme essentiel par lequel l'offre de logement est régulée au Québec. Une partie de la population n'a pas les moyens de s'offrir un logement décent dans ce contexte. Pourtant, le logement est un élément essentiel au bien-être physique, psychologique et social. Afin de garantir un logement abordable et adéquat, plusieurs groupes, intervenants et citoyens demandent que le logement soit reconnu comme un droit.

Au Canada, bien que le droit au logement soit affirmé par la *Loi nationale sur l'habitation*, il n'est pas officiellement reconnu, c'est-à-dire légalement opposable aux tiers. Ainsi, il n'est pas inclus dans la Charte des droits et libertés du Québec et dans celle du Canada, et ce, malgré le fait que le pays et la province aient signé des ententes internationales qui reconnaissent le droit au logement telle que la Déclaration universelle des droits de l'homme[7].

Face à cette situation, plusieurs organismes réagissent. La Commission des droits de la personne recommande que le logement soit reconnu comme un droit, et des groupes, dont le Front d'action populaire en réaménagement urbain (FRAPRU), en font la revendication. Ils font valoir que la reconnaissance de ce droit donnerait au logement un autre statut que celui de bien de consommation et qu'elle pourrait servir de levier pour réclamer davantage de logements sociaux.

2. Les impacts sociaux

Les conditions de logement déterminent l'organisation de la vie quotidienne des individus et leurs modes d'inscription dans la société. Lorsqu'il est question du logement communautaire, la présence de résidants à faible revenu, dont plusieurs présentent

---

7. Ce droit a aussi été récemment reconnu en France (mars 2007).

des besoins spécifiques de services de soutien au-delà de la seule offre de logement, accroît les impacts d'un logement adéquat. L'accès à un tel logement devient un facteur déterminant sur la place de l'individu dans la société. Ainsi, par son offre de logement adéquat à des ménages à plus faible revenu et par le lien social qu'elle permet, l'habitation communautaire combat l'exclusion, phénomène qui peut occasionner des effets négatifs tant pour l'individu que pour une société qui se veut démocratique.

L'objectif du logement communautaire est d'offrir un logement abordable, sécuritaire et de qualité dans un environnement de solidarité et de réciprocité. Dans cette section, il sera question d'un certain nombre d'impacts sociaux générés par le logement communautaire, en particulier sur l'*empowerment* individuel et collectif, la santé, l'intégration sociale, la mixité sociale et le territoire.

2.1 L'empowerment

Il existe plusieurs définitions du concept d'*empowerment*. L'implication, l'engagement, l'apprentissage, l'autogestion sont quelques éléments clés de ce concept (Bouchard et Gagnon, 1998). La notion d'*empowerment* peut référer à deux contextes, à savoir les contextes organisationnel ou individuel. Dans le premier cas, elle évoque l'autogestion, la capacité d'agir des membres de l'organisation pris comme un ensemble. Réalisable sans que chaque membre soit entièrement autonome, l'*empowerment* d'un groupe favorise celle de ses membres. Dans ce deuxième cas, elle relève plus du pouvoir décisionnel individuel et de l'acquisition de connaissances. Les structures des coopératives et des OSBL d'habitation sont propices au développement de l'*empowerment* organisationnel et individuel.

Les possibilités d'encourager l'*empowerment* peuvent varier selon le type de logement communautaire. En tant que propriétaires collectifs, les membres des coopératives d'habitation sont impliqués directement dans la gestion au moyen de l'assemblée générale des membres, du conseil d'administration et des comités. En ce qui concerne les OSBL, les résidants ou leurs représentants siègent de plus en plus au conseil d'administration et, depuis 1985, cela est obligatoire dans les programmes[8] de financement administrés par la SHQ. Les assemblées et les nombreux comités, actifs à des degrés variables dans les OSBL ainsi que dans les coopératives, permettent également l'émergence et le renforcement d'une solidarité sociale, une forme d'*empowerment* collectif.

La formation est une dimension importante de l'*empowerment*. Avec les travaux et les nombreux comités inhérents au fonctionnement démocratique des coopératives, un membre peut acquérir ou développer plusieurs compétences telles que la gestion démocratique, le processus de prise de décisions, l'apprentissage de la citoyenneté ainsi que des compétences pratiques comme la comptabilité et l'entretien de bâtiments. Les réseaux de soutien aux OSBL et aux coopératives d'habitation offrent de la formation afin d'aider les gestionnaires ainsi que les résidants à acquérir des compétences de base pour remplir leurs mandats adéquatement. Bien que dans 65 % des OSBL, des représentants des résidants siègent au conseil d'administration (Ducharme et Dumais, 2007), il reste que ces derniers ne sont habituellement pas impliqués dans tous les aspects de la gestion de l'OSBL. L'*empowerment* de ce fait s'avère plus limité. Toutefois, le soutien communautaire, un aspect important des OSBL d'habitation, contribue significativement à l'*empowerment* des résidants.

Le soutien communautaire est surtout une particularité des OSBL d'habitation. En effet, ceux-ci sont de plus en plus des lieux d'interventions sociales. Selon Jetté *et al.* (1998), « [...] l'avantage premier des OSBL avec soutien communautaire est l'autonomie et la stabilité qu'ils offrent à leurs locataires, facteurs d'*empowerment* pour les personnes sujettes à différents types de fragilités sociales ». Le soutien communautaire varie selon les besoins de la population ciblée, mais vise à mettre en place des conditions permettant aux résidants de développer et de renforcer la prise en charge de leur vie. Selon une étude du RQOH réalisée en 2007,

---

8. Tels que le Programme sans but lucratif privé (PSBL-P), le Programme intégré québécois (PIQ), le Logement abordable Québec – volet social et communautaire (LAQ) et l'AccèsLogis Québec (ACL).

les cinq (5) principaux types de soutien communautaire sont : la gestion des conflits, la sécurité, les loisirs, l'intervention en situation de crise et l'alimentation. Dans certains cas, il y a aussi des initiatives d'insertion professionnelle, d'alphabétisation, de groupes d'entraide ou de formation. La majorité des OSBL ont été créés en fonction d'un groupe cible spécifique tel que les personnes âgées, les personnes ayant des problèmes de santé mentale, les personnes avec handicap, les femmes en difficulté et les personnes ayant vécu l'itinérance ou qui sont à risque de vivre cette situation. Par exemple, en 2006, près de 50 % des résidants d'OSBL sont des personnes âgées en légère perte d'autonomie (RQOH, 2008).

2.2 La santé

Plusieurs recherches ont clairement établi des liens entre le logement et divers problèmes de santé[9]. La santé dépend de plusieurs variables, dont certaines concernent l'individu et d'autres, la collectivité. Bien que plusieurs facteurs aient des impacts sur la santé, les conditions sociales et économiques en sont des éléments majeurs (Dunn, 2002 et CRD, 2007). L'héritage biologique de la personne, les décisions personnelles et le style de vie ont également une influence non négligeable sur la santé. Selon le ministère de la Santé et des Services sociaux (MSSS), il y a huit (8) déterminants sociaux de la santé : les habitudes de vie, l'éducation, le transport, l'aménagement urbain, l'environnement physique, l'environnement social, la pauvreté et, bien sûr, le logement. Par ailleurs, l'insécurité résidentielle et le coût élevé du logement influencent les autres déterminants de la santé physique et mentale. Ainsi, un locataire incapable de payer son loyer et de subvenir à ses besoins de base est exposé à un stress continuel qui peut lui être dommageable à long terme.

Afin d'évaluer les besoins en logement des ménages, la SCHL a développé la notion de «besoins impérieux en logement» qui prend en compte les facteurs suivants : le surpeuplement, l'état

---

9. Voir notamment Morin et Baillergeau (2008).

du logement et un coût du loyer inférieur à 30 % du revenu avant impôt. Ainsi, un ménage qui, pour se loger adéquatement dans un logement convenable, doit consacrer plus de 30 % de son revenu brut mensuel est considéré en « besoins impérieux ». En effet, quand un ménage dépense 30 % ou plus de son revenu brut pour se loger, il est probable qu'il manque d'argent pour combler d'autres besoins essentiels. Le logement communautaire, en offrant un coût du loyer plus bas, permet de libérer plus de ressources financières pouvant être affectées à d'autres dépenses, notamment l'alimentation et le chauffage, deux facteurs importants pour la santé. De même, en répondant aux normes des programmes de subvention, le logement communautaire garantit un logement non surpeuplé et salubre. Il offre la sécurité d'occupation, ce qui permet de réduire le stress et de faciliter la création de réseaux sociaux. L'influence des relations sociales sur la santé est confirmée par le MSSS (Morin et Baillergeau, 2008). Finalement, le soutien communautaire offert dans ce type de logement vient faciliter le maintien à domicile pour les personnes âgées et encourager l'intégration à la société pour des populations fragilisées.

2.3 L'intégration sociale

L'intégration sociale est à l'opposé de l'exclusion sociale. L'exclusion se présente surtout sous la forme de la marginalisation de personnes fragilisées attribuable, par exemple, à la toxicomanie, à la maladie mentale ou à des problèmes telle la violence conjugale. Elle ne favorise pas la création et le maintien de liens sociaux. La vulnérabilité liée à l'absence de liens sociaux ou à des revenus précaires et insuffisants peut mener également à l'exclusion.

Trois (3) éléments contribuent à l'intégration sociale : le lien social, l'accès à un logement et l'obtention d'un emploi (Morin *et al.*, 2005). Le logement communautaire permet le second aspect, favorise le premier, ce que nous verrons plus loin dans cette section, et peut même indirectement mener à l'emploi. Les résidants à faible revenu du logement communautaire sont souvent sans emploi ou sans emploi stable, ce qui les coupe d'un réseau social potentiel. Le logement prend donc une dimension encore plus importante afin de diminuer la marginalisation et permettre la création d'un réseau social.

L'habitation communautaire permet le développement de liens sociaux par des rapports de voisinage. En effet, bien que les relations sociales se limitent souvent à des salutations entre voisins, ces liens appelés « liens faibles » et plutôt superficiels sont néanmoins significatifs. Ils consolident la conscience d'être chez soi, constituent des ponts entre différents réseaux sociaux et contribuent à l'attachement au quartier (Morin *et al.*, 2005). Le degré de sociabilité peut varier selon la catégorie de résidants et des différents besoins. Par exemple, les personnes âgées peuvent vouloir briser leur isolement, les nouveaux arrivants ou réfugiés peuvent désirer être à l'abri de la discrimination et certains ménages peuvent simplement rechercher un logement abordable en bon état. Selon une étude réalisée en 1998-1999 dans le quartier Hochelaga-Maisonneuve auprès de résidants de coopératives et d'OSBL d'habitation, 93 % d'entre eux se saluaient, 75 % avaient des discussions avec leurs voisins et 59 % échangeaient des services (Morin *et al.*, 2001). Étant donné que ces liens prennent du temps à se créer et que les personnes à faible revenu ont tendance à déménager fréquemment, la stabilité résidentielle qu'offre le logement communautaire est d'autant plus importante et peut favoriser l'implication et l'intégration sociale (Morin *et al.*, 2001).

Un autre avantage du voisinage est suggéré par une enquête (Bernèche *et al.*, 1997) sur l'amélioration de la sécurité réalisée en 1996-1997 auprès de résidants de logements publics, communautaires et privés. Les données recueillies montrent une proportion plus importante de conversations et d'échanges de services entre voisins dans le logement communautaire que dans les deux autres formes de logements, ce qui contribue à procurer un sentiment de sécurité.

2.4 La mixité

La mixité peut prendre plusieurs formes. On peut y voir une référence à la diversité de revenus, à celle des types de ménages ou des groupes ethnoculturels. La proportion des personnes ou des ménages ayant ces caractéristiques doit être prise en compte également. Par ailleurs, la mixité peut se manifester à différentes échelles : l'immeuble, l'îlot, le quartier. Pour la SCHL (Serge, 2007), la mixité sociale est essentielle, minimalement à l'échelle de la ville.

Dans la Stratégie d'inclusion de logements abordables adoptée par la Ville de Montréal en 2005, trois (3) raisons sont invoquées pour encourager la mixité sociale : elle est un critère de développement durable ; elle est une façon d'éviter la ségrégation sociale et le cercle vicieux de l'appauvrissement ; et finalement elle est un moyen pour assurer le maintien des gens dans leur milieu[10].

Cependant, selon différentes recherches[11], la mixité sociale peut être un facteur positif ou négatif selon l'échelle spatiale. Selon Dansereau *et al.* (2002), la mixité dans un même quartier crée moins de frictions que la mixité à l'intérieur d'un même immeuble qui impose une cohabitation plus intime. Dans un quartier, la mixité socioéconomique encouragée par une variété de types de logements permet à chacun de choisir le degré de socialisation qui lui convient. Certains projets de logements ont effectivement réussi à intégrer une mixité sociale en favorisant une diversité des modes d'occupation et des types de logements. Par exemple, le quartier Angus à Montréal offre des coopératives, des OSBL et des condominiums de même que des immeubles à logements multiples et des maisons en rangée.

Pour les défenseurs du logement communautaire, la mixité sociale, dans un quartier ou dans un projet, est un objectif depuis le début du mouvement dans les années 1970. Toutefois, pendant un temps, certains programmes de subventions comme le Programme de logement sans but lucratif privé (PSBL-P) n'avaient

---

10. Par cette politique, la Ville vise dans les projets 15 % des unités en logement abordable (des revenus modestes) et 15 % des unités en logement social et communautaire (ces dernières se qualifieraient pour les programmes AccèsLogis ou Logement abordable Québec – volet social et communautaire). Cette inclusion est volontaire, mais la Ville a un certain pouvoir de négociation quand il y a une demande de modification de zonage, par exemple.

11. Voir notamment la synthèse faite dans Dansereau *et al.* (2002)

pas cet objectif. La priorité était de donner accès à un logement adéquat aux personnes présentant les plus faibles revenus. Cependant, avec les programmes PARCO, AccèsLogis et Logement abordable Québec (LAQ), la mixité du point de vue du revenu est de nouveau visée. Ainsi, dans ces programmes, le loyer est fixé à un prix inférieur au loyer médian du milieu. De plus, pour AccèsLogis par exemple, certains ménages peuvent bénéficier du Programme de supplément au loyer. De cette manière, une certaine mixité est garantie.

Dans les coopératives, le processus de sélection où ce sont les membres qui sélectionnent les nouveaux résidants permet de choisir des personnes potentiellement compatibles. Le droit d'établir des critères de sélection dans les OSBL peut éventuellement avoir le même effet. Si les écarts ne sont pas trop grands, la mixité peut offrir des avantages. Ainsi, les résidants peuvent posséder des compétences complémentaires, par exemple des habiletés manuelles ou des connaissances plus conceptuelles. Quelques-uns auront une disponibilité pour participer à des activités tandis que d'autres n'en auront pas momentanément. Selon certains auteurs, les mieux nantis peuvent servir de modèles de réussite économique et introduire les autres résidants dans des réseaux pour trouver des emplois[12]. Par ailleurs, si des conflits surgissent, les mécanismes de conciliation prévus aux règlements des coopératives et des OSBL peuvent faciliter la vie commune. Il est clair que le logement communautaire, avec son fonctionnement et sa structure, censés favoriser la solidarité et la coopération, offre probablement les meilleures conditions pour que la mixité réussisse.

2.5 Le territoire

Le logement communautaire comble, en premier lieu, les besoins des individus, mais également ceux du milieu. En fait, il est utilisé comme fer de lance autant pour la revitalisation de quartiers urbains menacés de dégradation que pour répondre aux préoccupations des municipalités rurales en matière d'offre de logements.

---

12. Voir notamment la recension faite dans Dansereau *et al.* (2002).

La valeur de solidarité présente dans le logement communautaire se répercute sur les milieux où il s'implante, car les locataires sont plus engagés dans leur environnement. Les liens qui se développent entre les résidants et leur voisinage grâce à la stabilité résidentielle sont propices à un sentiment grandissant de sécurité et permettent la réappropriation du milieu de vie. L'expérience démontre que le logement communautaire contribue à l'amélioration du cadre bâti ou peut avoir un effet d'entraînement dans le milieu par la qualité des projets et par l'implication des résidants.

Depuis ses débuts dans les années 1970, le logement communautaire vise à s'intégrer à son milieu sur le plan architectural. Une certaine qualité du bâti est assurée puisque le logement communautaire doit répondre à des normes de qualité. En effet, les différents programmes gouvernementaux tels qu'AccèsLogis incluent des critères de construction. L'implication des futurs résidants lors de la conception des immeubles favorise la recherche d'une plus grande conformité à leurs besoins. On n'a qu'à observer quelques-uns des centaines de projets réalisés pour se convaincre de leur diversité et de leur originalité : pensons par exemple aux coopératives Lanjevine de Chicoutimi et Le Harfang de Beauport, aux OSBL La Seigneurie de New Richmond, Les Habitations Panet à Saint-Fabien-de-Panet et Logis Phare à Montréal (AGRTQ, 2006).

Le logement communautaire permet de garder la population dans son milieu, que ce soit dans les centres urbains ou dans les municipalités rurales. Dans le premier cas, il favorise la redynamisation des quartiers en déclin tant par la rénovation ou la construction de logements que par la diversité du statut socioéconomique de ses résidants et contribue à contrer ou à ralentir les effets négatifs de la gentrification. Dans les municipalités rurales, le logement communautaire présente plusieurs avantages. En offrant du logement locatif, il constitue un moyen de combattre l'exode de la population, dans un milieu où le marché locatif privé est souvent quasi inexistant, les promoteurs privés n'y trouvant pas leur compte. En outre, le logement communautaire permet d'augmenter l'assiette fiscale au moyen de projets de rénovation ou de construction. De plus, il est un stimulus pour l'économie locale par la création d'emplois, par une population plus importante et par un pouvoir d'achat plus grand, ce qui peut contribuer à soutenir les commerces locaux. Finalement, avec le maintien ou l'accroissement de la population, il y a aussi la possibilité de contribuer à l'augmentation de l'offre de services.

Afin de bien saisir l'ampleur de l'apport du logement communautaire, voyons quelques exemples de projets ayant permis de revitaliser un quartier ou une municipalité rurale. En milieu urbain, la Coopérative Lézarts de Montréal, dans le quartier Centre-Sud, est un projet d'ateliers-résidences pour artistes professionnels. En plus de recycler une usine désaffectée, la coopérative a créé des logements, un lieu de production, un lieu de diffusion, d'échanges et d'animation du quartier. Un autre exemple intéressant est le Réseau des Petites Avenues, dans le quartier Hochelaga-Maisonneuve à Montréal. Cet OSBL procède à l'acquisition de grands logements sur le marché privé, les rénove et les loue à de jeunes adultes en insertion ou en risque de décrochage. Cette façon innovatrice permet de rejoindre les clientèles fragiles dans leur milieu, sans investissement majeur dans le bâti (Gaudreault, 2003). Finalement, l'OSBL Le Phare, à Valleyfield, a créé quatorze logements pour jeunes mères. Il fait appel à un réseau d'une douzaine d'organismes de soutien pour offrir des services tels qu'une cuisine collective, l'aide aux travaux scolaires et l'insertion en emploi. Ce nouvel ensemble résidentiel s'inscrit dans le contexte d'une stratégie de revitalisation d'anciens quartiers.

En milieu rural, un exemple retient notre attention. La localité de Saint-Fabien-de-Panet, près de Montmagny, est un cas particulièrement intéressant en raison de la collaboration entre deux organismes. La coopérative Beauséjour, qui détenait déjà dix (10) logements, a acquis quatorze (14) maisons unifamiliales appartenant à des personnes âgées pour loger les jeunes familles du village, permettant ainsi à ces aînés de vendre leur propriété dans un milieu où le marché n'était pas actif. Ces personnes ont pu rester dans la municipalité grâce à un nouvel édifice construit par l'OSBL Les Habitations Panet. Ce projet a consolidé la vie économique du milieu tout en favorisant le maintien de l'école menacée de fermeture.

3.3 Les impacts économiques

Les particularités du logement communautaire, à savoir la solidarité, le potentiel de synergie avec d'autres organismes du milieu et les formes d'organisations, ont une incidence positive sur l'individu et sur la communauté. La présente section trace le portrait des impacts économiques.

La construction et la rénovation résidentielles sont fréquemment utilisées comme un indicateur de santé économique puisqu'elles sont à la fois un indice du pouvoir d'achat de la population et un multiplicateur d'emplois dans la communauté locale et pour l'économie en général. On entend souvent dire « Quand le bâtiment va, tout va. »

Dans les programmes de soutien au développement du logement communautaire de 1995 à 2007, le financement des projets provenait de trois sources principales : les gouvernements (fédéral et provincial) dans une proportion de 45 % ; le milieu – généralement les municipalités, mais pas exclusivement – pour 20 %, et les résidants, par des prêts hypothécaires amortis sur 25 ans, pour plus du tiers (35 %). Ainsi, un investissement de 45 M$ du gouvernement fédéral ou provincial génère des activités économiques de 100 M$. Pour eux, les revenus qui s'ensuivent sous forme de taxes et d'impôts réduisent d'autant leurs contributions réelles.

Par l'intermédiaire du programme AccèsLogis (de 2002 à 2007), le gouvernement québécois a contribué au logement communautaire en versant 250 M$; pour la même période, le milieu a investi environ 68,5 M$. Un autre montant de 324 M$ a été octroyé entre 2002 et 2005 dans le programme Logement abordable Québec dont une partie seulement était dédiée au logement communautaire. Les fonds provenaient du gouvernement provincial (105 M$ sur 2 ans), de la SCHL (57 M$), des municipalités, dont la participation équivalait à celles des deux gouvernements ensemble, soit 162 M$[13], le reste provenant des résidants au moyen de prêts hypothécaires.

---

13. Source : Beauchamp, 2006 : 5.

Comme la construction et la rénovation résidentielles constituent un moteur de l'économie, les programmes de développement du logement communautaire servent à la réguler. Ainsi, quand l'économie va mal, le gouvernement peut intervenir pour suppléer aux faibles investissements de la part du secteur privé. Par ailleurs, contrairement aux programmes destinés aux locataires ou aux propriétaires en général qui visent, par exemple, la revitalisation du milieu ou la préservation en bon état du patrimoine individuel, les programmes dédiés au logement communautaire sont des investissements dans le patrimoine collectif.

Les loyers des résidants couvrent bien sûr les différents coûts comme les taxes municipales, mais contribuent également par le prêt hypothécaire et les différents fonds (de rénovation par exemple) au maintien d'une propriété collective à l'abri du libre marché. La présence de cette propriété collective a également des impacts sur les coûts du loyer, comme nous le verrons dans la section qui suit, ainsi que sur le milieu, dont il sera question plus loin.

3.1 Le coût du loyer

Dans une situation de précarité financière, les individus coupent dans plusieurs dépenses telles que l'électricité, le chauffage, le téléphone, l'habillement et l'alimentation afin de pouvoir payer le loyer (St-Pierre, 2007 ; CRD, 2007 ; FRAPRU, 1998). Ces choix, qui conduisent éventuellement à l'insalubrité et au surpeuplement dans des logements moins chers, ont des conséquences sur la qualité de vie et sur la santé des individus. À moyen ou à long terme, si la pénurie de logements abordables est généralisée, les problèmes de santé qui y sont liés représentent des pressions et des coûts, à un autre niveau, c'est-à-dire sur le système de santé. Étant donné que le pouvoir d'achat de biens de consommation de base est réduit, l'économie est alors moins dynamique. Pour l'individu comme pour la société, le contrôle du coût des loyers est primordial lorsque ce dernier représente une importante part des revenus. Au Québec, la Régie du logement joue ce rôle pour l'ensemble du marché locatif. Le logement communautaire pour sa part favorise le maintien des loyers à des niveaux inférieurs à ceux du marché lucratif. Par leur caractère sans but lucratif et en raison des ententes de programmes les liant aux gouvernements, les coopératives et les OSBL d'habitation, tout en ayant la responsabilité d'investir dans le maintien en bon état des unités de logements, ne visent pas à faire du profit, et peuvent ainsi établir un coût du loyer en fonction des dépenses réelles et de la constitution des fonds de réserve requis.

En ce qui concerne les coopératives, un contrôle additionnel s'exerce puisque c'est l'assemblée des membres qui détermine le coût du loyer. Par ailleurs, en général, les logements des OSBL et des coopératives encore sous convention avec les gouvernements ne peuvent être revendus à des fins spéculatives, ce qui assure une certaine pérennité de ce parc de logements aux loyers relativement bas.

Cependant, lorsqu'on parle de contrôle, il n'est pas uniquement question du prix du loyer, mais aussi du phénomène fréquent des prix trop élevés pour la qualité des logements disponibles, phénomène usuel lors de pénuries de logements. D'où l'importance d'accroître le nombre d'unités de logements communautaires afin qu'elles servent de point de comparaison avec les loyers du marché et éventuellement, si elles sont en nombre suffisant, pour constituer un marché alternatif et contribuer ainsi à maintenir les loyers à un prix acceptable.

3.2 L'emploi

Le logement communautaire crée des emplois directs et indirects, de différents types. Que ce soit dans la phase de développement de projets (préparation des projets, rénovation et construction des logements) ou dans la phase d'exploitation, le fonctionnement des OSBL et des coopératives exige des ressources d'une grande variété de fournisseurs de biens et de services (plombiers, électriciens, comptables et autres professionnels). De plus, les OSBL d'habitation comptent environ 3 500 emplois liés aux activités de soutien communautaire et de services aux personnes. Au Québec, les 60 000 logements communautaires génèrent ainsi, dans l'ensemble, 10 % des emplois de l'économie sociale.

Peut-on calculer ce que ces emplois représentent ? Selon la SCHL (2000), la construction de chaque logement crée de trois (3) à six (6) emplois par année sur une période de cinq (5) ans. En plus des emplois directs, la construction et la rénovation résidentielles ainsi que la préparation des projets produisent des activités dans des professions connexes représentées par les GRT, les architectes, les notaires, les agents immobiliers et les fournisseurs de matériaux. En utilisant la logique de la SCHL, on peut estimer qu'en 2008 chaque 100 000 $ investi dans la construction d'un logement communautaire fournit deux (2) emplois par année.

Pour l'individu, le lien entre l'emploi et le logement est direct étant donné que l'accès à un logement est lié à la capacité de l'individu à payer. Inversement, Dorvil et Morin (2001) soulignent que la qualité du logement influence la capacité à travailler des individus. Il faut donc un revenu provenant généralement d'un emploi suffisamment bien payé pour avoir accès à un logement décent. Par ailleurs, la stabilité liée à l'occupation d'un logement adéquat à coût abordable a un impact sur la capacité de la personne à chercher un emploi et à bien travailler.

3.3 Les coûts de réalisation : un investissement collectif

Selon DesRosiers (2006), qui a effectué une recherche sur le coût de réalisation du logement communautaire dans la région métropolitaine de Montréal, l'augmentation des coûts des logements des coopératives et des OSBL d'habitation suit la même tendance que celle qui caractérise la construction de logements privés à but lucratif. En 2005, le coût moyen de réalisation d'une unité de logements communautaires, par la construction ou par la rénovation, était à près de 123 000 $, une augmentation de 59 % par rapport au coût de 2002 (77 000 $). Le coût de réalisation inclut le coût de construction (main-d'œuvre et matériaux), le coût d'acquisition, les honoraires et les autres frais. Sont inclus dans les autres frais la décontamination, les frais de financement et les frais variables imprévus.

Plusieurs raisons expliquent la hausse des coûts. Ainsi, entre 2002 et 2005, la proportion des constructions, plus coûteuses que la rénovation, s'est accrue, passant de 46 % à 85 %. La hausse du coût du bois d'œuvre et de la main-d'œuvre explique en partie cette augmentation. Le coût de la main-d'œuvre varie en fonction du nombre de travailleurs disponibles, ce qui peut représenter un problème majeur dans les milieux ruraux[14] ou en période de « surchauffe » du marché de la construction dans les centres urbains.

Dans le volet I[15] des programmes AccèsLogis Québec et Logement abordable Québec – volet social et communautaire, plus des trois quarts des coûts des logements réalisés sont attribuables aux coûts de construction (75,6 %)[16], aux coûts d'acquisition (4,4 %) en diminution, aux frais d'honoraires (6,8 %) en augmentation et aux autres frais (13,2 %), qui ont doublé entre 2002 et 2005. Les frais de décontamination, qui font partie des autres frais, prennent de plus en plus d'importance, représentant seulement 2 % des coûts de réalisation en 2002 mais triplant pour atteindre 6,4 % en 2005. Ces frais doivent être pris en considération étant donné le peu de terrains libres dans les grands centres urbains et le fait que ces derniers sont souvent contaminés. D'ailleurs, DesRosiers (2006 : 4) souligne que dans la réalisation des projets à Montréal le coût de décontamination de certains sites a atteint de 10 à 15 % des coûts totaux.

Les unités devant être adaptées aux besoins de populations spécifiques entraînent des coûts supplémentaires. C'est le cas d'environ la moitié de tous les logements communautaires récemment construits qui s'adressent à une clientèle âgée en légère perte d'autonomie ou avec d'autres problèmes importants[17]. Le coût de réalisation varie donc selon les objectifs des programmes et peut

---

14. Selon le *Capital regional district* (CRD, 2007), une offre variée de logements abordables (comme les coopératives et les OSBL) et de plus haut de gamme dans une municipalité peut attirer et garder une main-d'œuvre diversifiée qui, en retour, contribue à contrôler les coûts de construction.

15. Le volet I de ces programmes prévoit la réalisation de logements pour des familles, des personnes âgées autonomes ou des personnes seules.

16. Pourcentage sur l'île de Montréal ; toutefois les proportions restent similaires pour l'ensemble de la région métropolitaine de Montréal.

17. Entre 2002 et 2005, 47,8 % des unités de logements communautaires réalisées étaient sous le volet I, 38,5 % sous le volet II (personnes âgées en légère perte d'autonomie) et 13,7 % sous le volet III (besoins particuliers).

être calculé selon la superficie ou le nombre d'unités. Ainsi, la superficie moyenne des logements du volet I d'AccèsLogis est de 80 m², du volet II est de 56 m² et du volet III est de 43 m². Les coûts de réalisation des logements des volets II et III, selon la superficie totale, sont plus élevés que du volet I, mais la croissance des coûts est, quant à elle, moins rapide.

3.4 L'actif

Il est très difficile d'évaluer la valeur de l'actif des coopératives et des OSBL. Doit-on se référer à l'évaluation municipale, à la valeur attribuée par les banques ou à la valeur de remplacement telle qu'elle est estimée par les compagnies d'assurance ? Actuellement, la valeur foncière de l'ensemble du parc immobilier communautaire sous convention de la SCHL ou de la SHQ ainsi que celle du parc immobilier d'OSBL ne sont pas disponibles. Toutefois, le parc immobilier communautaire au Québec totalise 57 000 logements et sa valeur de remplacement est estimée de 5 à 6 milliards de dollars.

Nous avons quelques données sur le parc immobilier coopératif, évalué à un peu plus de 1 milliard de dollars au 31 décembre 2005 (voir tableau 4.1). Les unités de logements coopératifs ayant les valeurs foncières les plus élevées sont localisées dans les régions administratives de l'Outaouais et de l'Abitibi-Témiscamingue. Par ailleurs, selon Mercier (2006), en 2005, 85 % des coopératives avaient une réserve financière positive totalisant pour l'ensemble des coopératives d'habitation 60 millions de dollars, un atout financier intéressant.

Tableau 4.1

Parc immobilier coopératif

Habitation	2002	2003	2004	2005
Nombre de coop. déclarantes	1 127	1 145	1 160	1 151
Total de l'actif ($)	931 371 818	951 514 240	963 110 528	1 013 524 669

Source : Ministère du Développement économique, de l'Innovation et de l'Exportation (MDEIE) tiré de Mercier, 2006.

3.5 *Le milieu*

Aux États-Unis, plusieurs études ont été réalisées dans les années 1990 concernant l'impact du logement abordable sur la valeur marchande des maisons situées à proximité[18]. Même si la situation n'est pas la même au Québec, ces études nous renseignent sur les aspects du logement communautaire qui semblent provoquer des inquiétudes. Lors de l'implantation de projets de logements communautaires, il peut y avoir une crainte de la population résidante à l'effet que ces projets occasionnent une baisse de la valeur marchande de leur propriété. C'est le principal argument dans l'opposition aux projets de logements communautaires ou publics. La population environnante redoute ce type de projets, car elle craint qu'ils soient de faible qualité architecturale, de design douteux et de mauvaise construction. La population a peur que ces projets changent le caractère du quartier et occasionnent des externalités négatives telles que la pollution et la congestion routière (Nguyen, 2005). En plus de ces facteurs, afin de déterminer les répercussions d'un projet, il faut également tenir compte de la gestion post-construction, de la localisation – quartier aisé, vivant ou dévitalisé – et de la taille des projets. Ces caractéristiques peuvent influencer la valeur foncière ainsi que l'acceptation d'un projet par la population (Freeman et Botein, 2002).

Cependant, s'il y a des effets négatifs, ils sont faibles et généralement attribuables à une mauvaise qualité architecturale, à une grande concentration de logements abordables et à une localisation dans un quartier dévitalisé occasionnant alors une plus forte concentration de pauvreté. Une baisse de la valeur est parfois occasionnée par des propriétaires qui vendent leur demeure à perte avant même que le projet ne soit construit, car ils craignent un impact négatif (Freeman et Botein, 2002). Toutefois, il est important de souligner que la majorité des projets ont soit un impact positif car ils revitalisent un secteur dégradé, soit n'ont pas d'impact.

---

18. Il faut souligner que les projets étudiés incluaient seulement les logements pour personnes à faible revenu dont les personnes âgées et excluaient tous les projets s'adressant à des personnes avec des problèmes particuliers tels que la toxicomanie, l'itinérance, la maladie mentale, etc.

Au Québec, la petite taille des immeubles et la bonne qualité du bâti répondent aux inquiétudes soulevées par les études américaines. En effet, selon ces recherches, les projets de petite taille et de rénovation ont des conséquences positives dans le milieu. Puisque beaucoup de projets de logements communautaires au Québec rénovent des bâtiments dégradés ou développent des espaces sous-utilisés, il y a un impact très important sur le territoire. Cela s'explique par le fait qu'un bâtiment laissé à l'abandon est source d'insécurité en plus de faire diminuer la valeur des bâtiments qui l'entourent (Bernèche *et al.*, 1997 et Nguyen, 2005).

Rappelons que, dans plusieurs cas, la construction ou la rénovation de logements communautaires a servi à revitaliser un milieu. Citons comme exemples les projets Angus et Benny Farm à Montréal, le projet de Place de la Rivière à Québec ainsi que l'OSBL Saint-Fabien-de-Panet que nous avons évoqué plus haut.

Outre les oppositions reliées au bâti lui-même, il y a aussi des critiques relatives aux types de résidants des logements communautaires. En effet, un projet pour personnes âgées suscite moins d'opposition qu'un projet s'adressant à des toxicomanes (AGRTQ, 2006). Dans ce derniers cas, un travail de préparation du milieu est alors indiqué. Les bienfaits du logement communautaire sur le milieu peuvent être expliqués et des échanges peuvent éventuellement amener une meilleure acceptation du projet.

3.6 L'insertion en emploi

Il existe des projets d'insertion en emploi ou de retour aux études liés au logement aux États-Unis, en France et au Canada. Ces projets sont controversés pour plusieurs raisons, entre autres parce que le logement, s'il est un droit, ne doit pas être associé à l'obligation de travailler contre rémunération ou de retourner aux études. Les exemples de l'insertion au travail par le logement sont peu nombreux au Québec. Le but des projets québécois est en général plus large, il consiste à « initier des processus de revitalisation du milieu de vie et de la communauté, des démarches d'intégration sociale et d'*empowerment* de populations fragilisées socialement et économiquement » (Pfister, 2001 : 9). Néanmoins, certains projets de logements communautaires ont pour mission d'offrir un milieu favorable à un retour aux études ou à l'insertion en emploi. Plusieurs activités générées par la fonction de logement ont pu mener éventuellement à un emploi ; à titre d'exemple, les travaux de rénovation, la gestion domiciliaire, la conciergerie, le nettoyage et l'entretien d'espaces verts.

Toutefois, les projets qui ouvrent à une éventuelle insertion en emploi ne font pas consensus et ont certaines difficultés à attirer des participants. Le principal obstacle est la crainte d'une forte augmentation du loyer à la suite de l'obtention d'un emploi, laissant les résidants au même niveau de pauvreté que lorsqu'ils étaient sans emploi, notamment dans le cas des personnes disposant de subventions d'aide au paiement du loyer. Le contrôle des augmentations de loyer peut veiller à ce que la participation à ces programmes ne soit pas accompagnée d'une pénalité. D'ailleurs, il y a maintenant dans la réglementation gouvernementale québécoise régissant le logement communautaire ou public la possibilité d'une certaine augmentation de revenu sans augmentation du prix du loyer.

Conclusion

En somme, un logement adéquat est aussi le lieu incontournable du processus de reprise en main de soi, le point de départ pour l'accès à d'autres services et pour le développement d'un réseau de sociabilité. Plus encore, en ce qui concerne les personnes victimes d'exclusions, le logement constitue une pierre angulaire dans tout processus de restauration de son estime, de son identité, de sa remise en action. À l'inverse, l'absence de domicile fixe ou adéquat compromet les interventions sociales possibles (Ducharme, 2000).

Le logement communautaire représente non seulement un toit, mais également un apport social et économique non négligeable pour l'individu et la collectivité. Il permet aux résidants d'avoir un lieu de vie sain, abordable et sécuritaire, ce qui les incite à être des citoyens plus actifs. Le logement communautaire joue un rôle primordial dans notre société puisqu'il comble les lacunes du marché locatif à but lucratif, favorise le maintien à domicile de la population vieillissante, répond aux besoins résidentiels de populations fragilisées en plus de leur offrir des services de soutien.

Un des aspects innovateurs du logement communautaire tient au fait qu'il soit un geste émanant du milieu, démontrant l'implication citoyenne. Il est un fer de lance du développement de quartiers ou de municipalités dévitalisés, mais le syndrome « pas dans ma cour » ralentit parfois l'implantation d'un tel type de projet. Afin de pallier ce problème, les résidants avoisinants sont de plus en plus consultés pour l'élaboration des projets de logement communautaire.

Cependant, les paramètres des programmes actuels de financement rendent difficile leur réalisation, que ce soit dans les centres-villes où les valeurs des terrains sont très élevées ou dans les petites communautés où l'obligation de contribuer à la mise de fonds initiale peut s'avérer un obstacle important. L'insertion physique peut également présenter des problèmes lorsqu'il est question de sites contaminés qui coûtent très cher à réhabiliter ou en l'absence complète d'espaces pour construire de nouvelles unités. Les normes des programmes actuels obligent parfois des contributions démesurées pour les milieux relativement pauvres. L'effort exigé peut compromettre la réalisation d'un projet ou laisser le milieu exsangue de ressources pour de nouveaux projets. Cette situation est préoccupante car le logement communautaire constitue le plus souvent la seule solution concrète aux problèmes résidentiels des milieux dévitalisés.

Bien que le logement communautaire représente initialement un investissement financier, il est générateur de vitalité économique car il crée des emplois à long terme et permet aux résidants de pouvoir consacrer une part moindre de leur revenu au loyer, libérant ainsi des sommes pouvant être dépensées dans d'autres secteurs. La construction ou la rénovation de logements communautaires comme tout développement résidentiel est un puissant moteur économique en ce qui concerne la création directe et indirecte d'emplois. De plus, ces unités de logements dont la propriété demeure collective ont un impact positif sur les populations vulnérables et sur la qualité des milieux défavorisés.

Enfin, plusieurs pistes de recherche surgissent du survol de l'apport du logement communautaire. Les études empiriques à ce sujet en général sont peu nombreuses. Ainsi, il importe d'en conduire d'autres, tant qualitatives que quantitatives. Comme nous l'avons vu, la mixité sociale est un sujet controversé. Des études de cas sur les relations entre voisins dans les projets de logements communautaires permettraient de vérifier si ces systèmes de gouvernance facilitent la cohabitation. Il serait également intéressant de faire l'analyse de la qualité du bâti du logement communautaire dans une période proche de la fin de la convention. Des recherches sur l'évolution des valeurs foncières à proximité du logement communautaire aideraient à mieux éclairer les débats autour du phénomène NIMBY (*not in my backyard*). Nous avons également besoin de plus d'études sur la relation entre la perception du quartier, le sentiment d'appartenance et le mode d'occupation. Peu d'études présentent les valeurs réelles du logement communautaire dans son ensemble. Les moyens de maintenir et de créer le logement communautaire dans les centres-villes où la spéculation est importante et dans les milieux ruraux dévitalisés sont également de beaux sujets de recherche-action.

Bibliographie

AGRTQ (2006). «10 ans de croissance du parc de logements communautaires. *Bulletin de l'AGRTQ*, novembre. Disponible en ligne à: www.agrtq.ca.

Bail (2003). *Le logement: Portrait d'une crise*, Québec, Bureau d'animation et information logement du Québec métropolitain.

Beauchamp, V. (2006). *Analyse des projets de construction de logements communautaires de la société d'habitation du Québec (SHQ) de 1998 à 2003*, ARUC-ÉS et UQAM, Rapport de recherche.

Bernèche, F. *et al.* (1997). *Interventions publiques en habitation: Leur rôle dans l'amélioration de la sécurité et la prévention de la criminalité. L'expérience des quartiers montréalais*, préparé par la Société de développement de Montréal pour la Société canadienne d'hypothèques et de logement et la Société d'habitation du Québec.

Bouchard, M. J. et M. Gagnon (1998). *L'habilitation (empowerment) dans les organisations coopératives: Cinq cas de gestion de coopératives d'habitation*, SCHL.

Bouchard, M. J. (2001). *Le logement coopératif au Québec: Entre continuité et innovation*, ARUC-ÉS.

Bouchard, M. J. et M. Hudon (2005). «Le logement coopératif et associatif comme innovation sociale émanant de la société civile», *Cahier de la Chaire de recherche du Canada en économie sociale*, C-2005-01, Montréal.

Bryant, T. (2004). "Housing as a social determinant of health", dans *Finding Room: Options for a Canadian rental housing strategy*, J.D. Hulchanski et M. Shapcott (dir.), Toronto, CUCS Press, p. 159-166.

Charbonneau, J. (1998). «Lien social et communauté locale: quelques questions préalables», *Lien social et politiques*, vol. 39, p. 115-126.

CRD (2007). *Regional housing affordability strategy for the Capital regional district*, Ottawa, Capital regional district planning and protective services.

Dansereau, F. *et al.* (1998). *Statuts et modes d'accès au logement: expériences et solutions innovatrices au Canada depuis les années 1970*, Paris, PUCA, coll. «Recherches», n° 119.

Dansereau, F., avec la collaboration de L. Villemaire et J. Archambault (2002). *Le logement social et la lutte contre la pauvreté et l'exclusion sociale*, INRS-UCS et Observatoire montréalais des inégalités sociales et de la santé (OMISS), Montréal.

Dansereau, F. *et al.* (2002). *La mixité sociale en habitation*, rapport de recherche réalisé pour la Ville de Montréal, INRS-UCS, Montréal.

DesRosiers, F. (2006). *Avis sur l'évolution des coûts de réalisation des projets AccèsLogis Québec et Logement abordable Québec de la SHQ au cours de la période 2002-2005*, Mémoire présenté à la Commission parlementaire sur l'aménagement du territoire, Québec.

Dorvil, H. et P. Morin (2001). «Le logement social et l'hébergement – Multiples enjeux et perspectives diverses», *Nouvelles Pratiques Sociales*, vol. 14, n° 2, p. 20-27.

Ducharme, M.-N. (2000). Conditions du développement de l'intervention sociale par le logement social pour des personnes vulnérables, Mémoire de maîtrise, Montréal, UQÀM.

Ducharme, M.-N. et L. Dumais (2007). *Les services dans les OSBL d'habitation*, ARUC-LAREPPS (à paraître).

Dunn, J.R. (2002). *A population health approach to housing*, Rapport de recherche pour NHRC et CMHC.

Dunn, J.R. (2004). « Le logement et la santé de la population – Cadre de recherche », *Le point en recherche*, Série Socio-économique, n° 04-016, SCHL.

FRAPRU (1998). *Dossier noir – Logement et pauvreté au Québec*, Front d'action populaire en réaménagement urbain.

Freeman, L. et H. Botein (2002). "Subsidized housing and neighborhood impacts : A theoretical discussion and review of the evidence", *Journal of Planning Literature*, vol. 16, n° 3, p. 359-378.

Gaudreault, A. (2003). « L'apport spécifique du logement communautaire sur la revitalisation, l'insertion et le lien social » dans *Le logement communautaire : développer en partenariat*, Synthèse de colloque de l'ARUC-ÉS, p. 19-26.

Goetz, E.G. (2003). "Housing dispersal programs", *Journal of Planning Literature*, vol. 8, n° 1, p. 3-16.

Hulchanski, J.D. (2004). "A tale of two Canadas : Homeowners getting richer, renters getting poorer", dans J.D. Hulchanski et M. Shapcott (dir.), *Finding Room : Options for a Canadian rental housing strategy*, Toronto, CUCS Press, p. 81-88.

Hulchanski, J.D. et M. Shapcott (2004). "Introduction : Finding room in the housing system for all Canadians", dans J.D. Hulchanski et M. Shapcott (dir.), *Finding Room : Options for a Canadian rental housing strategy*, Toronto, CUCS Press, p. 3-12.

Jetté, C. *et al.* (1998). *Évaluation du logement social avec support communautaire à la Fédération des OSBL de Montréal (FOHM)*, UQAM, Cahiers du LAREPPS, n° 97-08.

Kährik, A. (2006). "Tackling social exclusion in European neighbourhoods : experiences and lessons from the NEHOM project", *GeoJournal*, vol. 67, p. 9-25.

Lalonde, L., N. Mercier et D. Tremblay (2001). « Brique et éthique : du logement autrement, mais comment ? », *Nouvelles Pratiques Sociales*, vol. 14, n° 2, p. 28-38.

Mercier, A. (2006). *Les coopératives d'habitation du Québec – édition 2005*, Québec, Direction des coopératives du MDEIE.

Morin, P., D. Robert et H. Dorvil (2001). « Le logement comme facteur d'intégration sociale pour les personnes classées mentales et les personnes classées déficientes », *Nouvelles Pratiques Sociales*, vol. 14, n° 2, p. 88-105.

Morin, P. et E. Baillergeau. 2008. « Introduction générale », dans P. Morin et E. Baillergeau (dir.), *L'habitation comme vecteur de lien social*, Québec, Presses de l'Université du Québec, p. 1-14.

Morin, R. (2002). « Logement social, lutte à l'exclusion et insertion en emploi : vue comparative », dans J. Trudel et F. Dansereau (dir.), *Les politiques de l'habitation en perspective. Les actes du Colloque tenu le 7 décembre 2001 à Montréal*, Québec, SHQ, p. 9-18.

Morin, R. (2003). « Quartier, identité et logement communautaire », dans L. Morisset et L. Noppen (dir.), *Les identités urbaines : échos de Montréal*, Québec, Nota Bene, p. 269-283.

Morin, R. *et al.* (2005). « Le logement communautaire à Montréal : satisfaction résidentielle et insertion socio-spatiale », *Canadian Journal of Urban Research*, vol. 14, n° 2, p. 261-285.

Namian, D. (2004). *Le logement communautaire : développer en partenariat*, Synthèse de colloque de l'ARUC-ÉS.

Nguyen, M.T. (2005). "Does affordable housing detrimentally affect property values ? A review of the literature", *Journal of planning literature*, vol. 20, n° 1, p. 15-26.

Pendall, R. (1999). "Opposition to housing – NIMBY and beyond", *Urban affairs review*, vol. 35, n° 1, p. 112-136.

Pfister, B. sous la direction de M. Bouchard, W. Frohn et R. Morin (2001). *Stratégies d'insertion en emploi de personnes vivant en logement social : Analyse d'expérience nord-américaines et françaises – Rapport synthèse*, Montréal, UQAM, Cahiers de l'ARUC-ÉS, n° R-03-2001.

Pomeroy, S. (2001). « La résidualisation de ménages locataires : Attitudes des propriétaires-bailleurs privés envers les ménages à faible ressources », *Le point en recherche*, Série Socio-économique, SCHL, n° 93.

Serge, L. (2007). « Forme urbaine et inclusion sociale », *Le point en recherche*, Série Socio-économique, SCHL, n° 07-007.

SCHL (2000). « Les incidences économiques de la construction résidentielle », *Le point en recherche*, Série Socio-économique, n° 69.

SCHL (2006). *L'observateur du logement au Canada. Volet spécial : Soixante ans de progrès en habitation au Canada*, Canada, Société canadienne d'habitation et de logement.

SHQ (2007). *Colloque des gestionnaires techniques SHQ-OMH 2007 – Résumé*, Montréal, Société d'habitation du Québec.

St-Pierre, N. (2007). *A safer haven : Innovations for improving social housing in Canada*, Canadian Policy Research Network, Ottawa.

Trudel, J. (2002). « Rénovation résidentielle et renouvellement urbain. Vue d'ensemble comparative. » dans J. Trudel et F. Dansereau (dir.), *Les politiques de l'habitation en perspective. Les actes du Colloque tenu le 7 décembre 2001 à Montréal*, Québec, SHQ, p. 69-75

Vaillancourt, Y. et M.-N. Ducharme (2000). *Le logement social, une composante importante des politiques sociales en reconfiguration: État de la situation au Québec*, Cahiers du LAREPPS, UQAM.

CHAPITRE 5

Habitation communautaire et personnes vulnérables

Lucie Dumais, Marie-Noëlle Ducharme
et François Vermette

Introduction

Les systèmes de prise en charge des personnes vulnérables connaissent des transformations au centre desquelles le secteur de l'habitation communautaire occupe une place croissante. On voit de plus en plus le secteur communautaire se prêter au développement de formules d'habitation adaptées aux besoins de différentes catégories de populations : autochtones, femmes, jeunes, personnes âgées en perte d'autonomie, personnes handicapées ou personnes en situation d'exclusion sociale. Cette tendance n'est ni unique ni fortuite et elle s'observe partout en Occident depuis plus d'une vingtaine d'années.

Ce texte s'intéresse à l'évolution des orientations, des politiques, des lois, des programmes et autres régulations qui, les uns s'additionnant aux autres, en sont venus à former un ensemble unique, traversé de logiques multiples dont celle de l'intersectorialité habitation/santé. La prise en charge des personnes présentant des vulnérabilités psychosociales est davantage présente dans les organismes sans but lucratif (OSBL) d'habitation et dans quelques projets de coopératives de solidarité que dans les coopératives d'habitation, ce que le texte tente d'étayer. La première partie présente quelques éléments caractéristiques des locataires de l'habitation communautaire. La seconde partie retrace la genèse des formules d'habitation communautaire et leur adaptation à des groupes de personnes vulnérables. La troisième partie s'intéresse à certaines de ces « filières » de services. L'examen des contextes, des besoins et des dynamiques propres à chaque groupe nous éclaire sur la configuration de l'offre actuelle en matière d'habitation communautaire. La dernière partie présente des enjeux relatifs à ces transformations institutionnelles dont ceux liés à la spécialisation des formules d'habitation et à la dissolution des frontières entre le logement et l'hébergement[1].

1. Personnes vulnérables et régulations : nos définitions

Tout comme celle de pauvreté, la notion de vulnérabilité se transforme sans cesse. Il importe donc, dans un premier temps, de connaître les caractéristiques des personnes locataires de l'habitation communautaire en les situant en regard des définitions de la vulnérabilité de même que par rapport aux institutions qui s'intéressent à elles.

1.1 Qui sont les personnes vulnérables ?

Les politiques sociales providentialistes ont d'abord saisi le problème de la pauvreté dans sa dimension économique ; la vulnérabilité était ainsi liée au risque social de perdre son revenu (chômage, maladie, retraite) ou au fait que celui-ci ne suffise pas à couvrir ses charges familiales ou personnelles, notamment en cas d'invalidité. Notons d'ailleurs que les conditions de logement ont été d'emblée incluses dans les principes de sécurité sociale providentialiste. Dès 1942 en Angleterre, le Rapport Beveridge sur l'assurance sociale stipule que « si la sécurité du revenu s'imposait de manière à libérer les hommes [sic] du besoin, le providentialisme

---

1. Nous remercions M. Yves Vaillancourt d'avoir lu le texte et d'y avoir apporté ses commentaires.

devait à plus long terme s'attaquer aussi à ces autres maux de société : la maladie, l'ignorance, la misère des taudis et le désœuvrement»[2]. Des années 1960 jusqu'à aujourd'hui, la condition de pauvreté s'est élargie progressivement à des dimensions sociales et culturelles puisque l'éducation, les modes de vie et les réseaux sociaux ont été associés à des moyens et à des caractéristiques de l'enrichissement personnel (le capital humain) et collectif (le capital social). La notion de vulnérabilité, quant à elle, nous renvoie davantage à une dimension psychosociale où la souffrance vécue par les personnes est à considérer tout autant que leurs conditions économiques ou sociales (Châtel et Roy, 2008)[3]. Enfin, on associe dorénavant à la pauvreté et à la vulnérabilité une dimension plus politique, axée soit sur les difficultés personnelles à pouvoir agir sur sa vie, soit sur les obstacles extérieurs à influer sur son environnement immédiat ou sur la société. Cette dimension est liée à la lutte à l'exclusion et aux abus des systèmes institutionnalisés.

Nous partons ici de l'idée que le classement de personnes dans des catégories dites vulnérables est en partie une construction sociale. Ces catégories sont campées historiquement suivant des contextes spécifiques ; elles peuvent être subdivisées, disséquées, en fonction de représentations sociales, de traditions, de professions, d'institutions ; ce sont donc des catégories changeantes. Par exemple, les filles mères dans les années 1950 sont aujourd'hui les mères monoparentales, des ayants droit qui attirent bien plus d'empathie. Mais par ailleurs, l'émergence de nouvelles catégories provient en substance de difficultés, de carences, d'incapacités, de ressources insuffisantes, toutes observables, qui présentent autant de défis d'intervention. Et ce sont les groupes de population eux-mêmes, mais aussi des cliniciens, des travailleurs sociaux, des mouvements, qui, par des demandes de reconnaissance spécifique

---

2. «Freedom from Want (...) Disease, Ignorance, Squalor and Idleness», dans *Social Insurance and Allied Services*, présenté au Parlement britannique, Londres, novembre 1942.

3. Bien que notre définition, serrée et restreinte, ne rejoigne pas celles qui sont discutées dans le récent ouvrage de Châtel et Roy (2008) sur les «visages de la fragilisation du social».

de leur réalité, font état de leurs besoins, par exemple les personnes atteintes du sida, les personnes âgées laissées à elles-mêmes. Certes, les besoins sont définis par les populations mais ils sont aussi relayés à leur manière par les médias et, enfin, traduits en visées technocratiques à des degrés variables ou pris en charge par divers groupes professionnels ou sociaux. Quoiqu'il en soit, il serait empiriquement inapproprié de les réduire à des discours politiques complètement détachés des souffrances réelles des personnes ou de leur précarité sociale et économique.

1.2 Des transformations à travers des régulations

Notre intérêt pour l'habitation communautaire provient, bien entendu, du souci d'améliorer les conditions des personnes vulnérables, représentées comme une population d'ensemble ou en diverses catégories de population. Mais nous abordons aussi l'organisation de ce secteur d'activité à la fois comme conséquence de rapports sociaux et comme institution qui se modèle sous l'effet conjugué des besoins exprimés et des réponses diverses dans un contexte donné. Les concepts de régulation et d'institution ont une portée théorique particulière lorsqu'ils sont utilisés par les tenants des théories de la régulation (Boyer, 2002). Pour plusieurs, les régulations en viennent à caractériser des rapports sociaux s'accordant à un régime économique donné pour une période suffisamment longue[4]. Quant à nous, dans ce texte, nous employons le terme « régulation » pour désigner tout dispositif ou règle du jeu en société que l'on retrouve sous forme de politiques, d'orientations gouvernementales, de lois ou de règlements. Le

---

4. En ce sens, plusieurs régulations identifiées dans notre texte se rapportent à des changements importants observés depuis une trentaine d'années et témoignent du passage du fordisme (production et consommation de masse) et du providentialisme (intervention étatique dans l'économie) au post-providentialisme. Les régulations post-providentialistes font appel à des rapports de production et de consommation où consommateurs, usagers et clients ont davantage voix au chapitre comparativement à des rapports plus autoritaires « top-down » ou plus passifs de part et d'autre. Ces régulations constituent des arrangements institutionnels, politiques et sociaux d'un genre nouveau où le rôle politique du citoyen est aussi pris en compte (Bélanger et Lévesque, 1991).

terme « institution » se rapporte, lui, à de grands types d'organisations et à leurs formes distinctives concrètes comme les institutions publiques, les organismes sans but lucratif (OSBL) ou les
coopératives.

1.3 Qui sont les locataires de l'habitation communautaire ?

Évoquées au chapitre 2 de cet ouvrage, les données d'enquêtes
récentes nous indiquent que les caractéristiques des ménages de
l'habitation communautaire reflètent, mais en les amplifiant, les
tendances sociodémographiques de la population québécoise,
c'est-à-dire qu'on y observe une part croissante de personnes
vivant seul de même qu'une tendance marquée au vieillissement.
Par ailleurs, les locataires du secteur de l'habitation communautaire présentent des caractéristiques socioéconomiques distinctives selon qu'ils soient en coopérative ou en OSBL. Ainsi, la
population des coopératives d'habitation est assez mixte. L'âge,
les occupations et les revenus des locataires, bien que l'on constate
des écarts, s'apparentent davantage à ceux de la population du
Québec qu'à ceux des locataires des OSBL d'habitation qui, eux,
sont plus âgés et plus pauvres. Ces différences tiennent en bonne
partie aux modes de gestion des uns et des autres. Rappelons que,
dans les coopératives, la gestion des immeubles repose sur l'implication et la participation des membres locataires, tandis que
dans les OSBL d'habitation cette participation n'est pas obligatoire. En effet, les tâches de gestion y sont plus souvent déléguées
à du personnel ou confiées à des administrateurs issus de la communauté. De fait, les OSBL d'habitation du Québec s'adressent à
des personnes qui, en raison de leur vulnérabilité, ne peuvent ou
ne veulent participer à la gestion de l'organisme[5]. La vulnérabilité
peut se révéler sous la forme de troubles mentaux et cognitifs ou
de maladies chroniques, notamment chez les personnes âgées, ou
alors se présenter comme des incapacités sur les plans du lien

---

5. Dans les faits, même si la participation à la gestion n'est pas obligatoire, elle
est souvent encouragée. Plusieurs locataires des OSBL d'habitation participent
à l'organisation ou à la gestion, par l'intermédiaire de différents comités de loisirs
et comités de locataires, ou aux menus travaux d'entretien.

social (analphabétisme, absence de réseaux sociaux), de la victimisation (exploitation, violence) ou de la marginalisation (dépendances, modes de vie marginaux).

Au-delà des écarts qui les différencient, les OSBL et les coopératives d'habitation ont pu se donner des vocations particulières, en dehors des contraintes d'accessibilité propres aux HLM où l'accès des locataires s'appuie essentiellement sur le revenu des personnes, sur la taille, sur la qualité des logements et, accessoirement, sur certains facteurs comme le degré d'autonomie[6]. Pour ces deux types d'habitation, on estime qu'environ 40 % des ménages sont subventionnés et, de ce fait, assujettis à des règles d'attribution dont les contraintes s'apparentent à celles des HLM. Les critères d'accès des locataires qui ne bénéficient pas d'une aide au paiement du loyer sont plus souples. Par ailleurs, les vocations et les populations cibles y sont souvent prédéterminées, de sorte que l'accès aux logements peut s'appliquer dès le départ à des populations spécifiques.

Ainsi, un bon nombre d'habitations communautaires accueillent exclusivement des personnes âgées en perte plus ou moins légère d'autonomie. On sait, en outre, que les OSBL ont plusieurs vocations pour répondre à des besoins particuliers : personnes itinérantes, personnes psychiatrisées, personnes handicapées, jeunes, mères, femmes ou hommes en difficulté. De plus, d'autres projets d'habitation de ce type accordent une bonne place à d'autres groupes qui, sans être identifiés à des filières de services, n'en sont pas moins vulnérables ou désavantagés. C'est le cas des autochtones vivant hors des réserves ou des personnes retraitées d'origine immigrante. Le tableau 5.1 illustre la prépondérance des groupes vulnérables dans les OSBL par comparaison aux coopératives. L'apparition de nouveaux besoins et la possibilité d'y répondre auront graduellement entraîné une certaine spécialisation dans les projets. La section qui suit retrace la genèse de cette évolution dans la foulée de la transformation des politiques d'habitation.

---

6. En effet, le Règlement sur l'attribution des logements à loyer modique (SHQ, 2006) stipule que les locataires doivent être autonomes sur le plan « [...] des soins personnels ou de l'accomplissement des tâches ménagères usuelles ».

Tableau 5.1

**Répartition des coopératives et des OSBL d'habitation
selon la mission ou la population servie***

Type de mission ou de population servie	Nombre de coopératives	Nombre d'OSBL	Total
Familles, ménages de personnes seules	1 111	122	1 233
Personnes âgées / retraitées	60	362	422
Personnes ayant des besoins particuliers	0	314	314
	1 171	798	1 969

Source : Mercier, 2006 ; Ducharme et Dumais, 2007.

* Les données concernant les coopératives de solidarité ne sont pas disponibles.

2. Les modèles d'habitation communautaire pour des populations vulnérables : chronologie

L'habitation communautaire conjugue l'univers des contrats entre individus et propriétaires dans le marché locatif de l'habitation à celui des systèmes de services publics, de « filières ». L'évolution de l'habitation communautaire est assez illustrative des nouvelles régulations post-fordiste et post-providentialiste ayant amorcé leur apparition dans les années 1970 au Canada. On peut décrire schématiquement cette évolution comme le passage d'un modèle d'habitation publique uniformisant, dominé par des ensembles planifiés à grande échelle, à propriété publique et à gestion technocratique, vers un nouveau modèle d'habitation. Celui-ci s'appuie sur des initiatives communautaires locales qui en assurent la gestion. Il reflète des partenariats complexes et accorde une place accrue à l'autonomie des personnes et des groupes, c'est-à-dire qu'il fait place au double *empowerment* des usagers et des producteurs, et il se caractérise par plus de souplesse et de transparence (Vaillancourt et Ducharme, 2000). Ainsi, le modèle de référence était, durant les années 1960 et 1970, le programme d'habitation à loyer modique (HLM) et est, de nos jours, le programme AccèsLogis. On pense aux programmes eux-mêmes d'abord, mais ils s'inscrivent dans un environnement d'orientations et de politiques publiques qui les rendent possibles ou qui les complètent.

Avec le temps, on distingue mieux les étapes successives ayant contribué à l'édification des formes actuelles. Tout d'abord, des programmes souples ont été rendus disponibles au profit des acteurs de l'économie sociale, comme ceux issus des articles 15.1 et 56.1 de la *Loi nationale sur l'habitation*. Ceux-ci ont pu être utilisés au profit de groupes traditionnellement pris en charge par le secteur de la santé et des services sociaux. C'est ainsi que, gra-duellement, les politiques ont créé un environnement qui a donné lieu au décloisonnement entre le secteur de l'habitation commu-nautaire et celui de la santé et des services sociaux, le tout étant soutenu par des politiques intersectorielles[7]. Le tableau 5.2 donne une vue d'ensemble de ces jalons historiques et des principales régulations (lois et programmes sociaux) dans le secteur de l'ha-bitation communautaire.

Tableau 5.2

Principales régulations du secteur de l'habitation communautaire en faveur des personnes vulnérables

	Orientations générales	Lois, règlements et programmes mis en place
1973	Programmes d'habitation destinés aux coopératives et aux OSBL	SCHL – Programmes de l'article 15.1 et de l'article 56.1
1986	Ciblage vers des personnes à faible revenu et ayant des besoins particuliers	SCHL / SHQ – Programme sans but lucratif privé (PSBL-P)
1997	Relance et consolidation des formules d'habitation communautaire avec services	SHQ – AccèsLogis
2000	Mise en œuvre d'une importante initiative de lutte contre l'itinérance	Canada – Initiative de partenariat en action communautaire (IPAC)-IPLI
2007	Cadre de référence sur le soutien communautaire en logement social	SHQ – MSSS

2.1 Premier jalon : l'ouverture à l'habitation communautaire par le gouvernement fédéral

Au cours des décennies 1950 et 1960, les interventions du gou-vernement fédéral en matière d'habitation sociale[8] étaient surtout centrées sur la production d'HLM, alors que les projets de type communautaire demeuraient des cas plus rares, isolés. Comme il

---

7. Citons, entre autres, la politique de la santé et du bien-être, en 1992, et l'adop-tion de la *Loi visant à lutter contre la pauvreté et l'exclusion sociale*, en 2002.
8. Telle qu'elle est définie au chapitre 2.

est mentionné au chapitre 1, c'est en 1973 que le gouvernement fédéral, tout en poursuivant le financement de la construction d'HLM, ouvre plus grande la porte au financement de projets d'habitation issus de coopératives ou d'OSBL. Cette orientation correspond à la volonté du gouvernement fédéral de produire, à coût moindre que les HLM, des ensembles d'habitation qui correspondent davantage aux demandes d'autonomie des personnes et des groupes. Plus souples que ceux soutenant le financement des HLM, ces programmes seront volontiers utilisés par des OSBL et des institutions désireux d'y prolonger leur mission à l'endroit de groupes spécifiques. On assiste alors à de nouvelles expériences avec des groupes de personnes retraitées ou de personnes âgées autonomes désireuses de rester dans leur village, ou encore d'aînés d'origine immigrante en milieu urbain, de chambreurs ou de personnes handicapées. Les initiatives sont soutenues par les paroisses, les caisses populaires, les centres de réadaptation, les congrégations religieuses, les municipalités, les fondations et les associations de personnes handicapées.

2.2 Deuxième jalon : le ciblage vers des groupes vulnérables

Le tournant majeur survient toutefois en 1986 lorsque le gouvernement fédéral réoriente ses politiques d'habitation de manière à axer ses programmes d'habitation vers les plus démunis[9], parmi lesquels on cible aussi des catégories de personnes ayant des besoins particuliers (SHQ, 1992). Cette réorientation sera concrétisée par la signature de l'Entente-cadre Canada-Québec sur l'habitation.

Ce virage fait directement écho au contexte économique du début des années 1980, marqué par la récession, mais aussi, en parallèle, à une réorganisation des services sociaux et de santé axée sur la désinstitutionnalisation. Au Canada comme au Québec, la récession entraîne la croissance du chômage et, à terme, une

---

9. L'accessibilité des locataires à une partie ou à l'ensemble des logements des projets sera assujettie au plafond de revenu déterminant les besoins impérieux (PRBI), qui établit l'accès en fonction d'un seuil de 30 % de taux d'effort ainsi que d'autres critères concernant les conditions de logements.

hausse dramatique de la pauvreté et des situations d'exclusion sociale. Cette nouvelle orientation en matière de financement de l'habitation renvoie en partie aux limites du modèle providentialiste alors incarné par les centres d'accueil, les hôpitaux et les autres centres d'hébergement public. Le Québec, qui devient du même coup le maître d'œuvre des programmes d'habitation, lance le Programme de logement sans but lucratif privé (PSBL-P)[10]. Ce nouveau programme a la particularité d'ajouter un volet spécifique pour les personnes âgées en légère perte d'autonomie. Il sera en outre utilisé par des groupes de personnes handicapées ou des groupes en situation d'exclusion sociale (santé mentale, toxicomanie, femmes en difficulté). La Société d'habitation du Québec (SHQ) y développe aussi un volet pour les autochtones vivant hors des réserves indiennes.

À l'époque, la préoccupation du logement pour les aînés en perte d'autonomie va de pair avec l'adoption en 1979 de la première politique de maintien à domicile par le gouvernement du Québec[11]. C'est dans cette même optique qu'une décennie plus tard la SHQ adopte un programme architectural spécifique aux besoins de ces personnes, comportant des normes relatives à l'accessibilité universelle, à l'aménagement des espaces, à la superficie des salles de bain, et à la présence de salles communautaires.

La création du programme AccèsLogis en 1997 confirme pour ainsi dire la catégorisation par groupes cibles. Le programme comporte trois volets. Le volet I est destiné aux familles et aux personnes seules. Le volet II est voué spécifiquement à des personnes de 75 ans et plus ou en légère perte d'autonomie, cette dernière étant définie comme « l'incapacité à accomplir les tâches de base de la vie quotidienne (repas, entretien ménager, lessive) » tout en excluant explicitement les personnes dont les pertes d'autonomie sont trop importantes. Le volet III prévoit, quant à lui, la réalisation d'ensembles « de logements permanents avec services pour des

---

10. Il s'agit d'un programme à frais partagés entre le gouvernement fédéral, les provinces et les municipalités.
11. Les services à domicile, politique du ministère des Affaires sociales, MAS, 1979.

clientèles ayant des besoins particuliers et nécessitant des installations spéciales et des services d'assistance personnelle sur place (sans-abri, jeunes en difficulté, femmes victimes de violence, toxicomanes, déficients intellectuels légers, handicapés physiques, etc.) » (SHQ, 2005 : 5). Le guide d'élaboration des projets AccèsLogis indique que les logements permanents du volet III se fondent sur « une démarche de réinsertion sociale et de prise en charge personnelle ». Une partie des unités de ce dernier volet est consacrée à des logements temporaires (de transition ou d'urgence). Les volets II et III d'AccèsLogis ont aussi en commun l'implication active des locataires. Les projets se doivent d'être élaborés et appliqués en étroite collaboration avec des organismes ou établissements du milieu œuvrant auprès de la population visée par le projet d'habitation. Les services peuvent être financés par l'organisme lui-même, être facturés aux locataires ou être le fruit d'ententes de services avec des organismes environnants.

2.3 Troisième jalon : l'initiative fédérale pour les sans-abri

Alors que l'Année internationale du logement des sans-abri, en 1987, est l'occasion d'efforts particuliers pour la réalisation de projets d'habitation destinés spécifiquement à ce groupe cible grâce au Programme de logement sans but lucratif privé[12], il faudra attendre douze années pour voir la mise en œuvre de l'Initiative nationale pour les sans-abri dont la composante la plus importante est l'Initiative de partenariat en action communautaire (IPAC)[13]. Cet investissement du gouvernement fédéral découle notamment des pressions du *National Housing and Homeless Network* et de la Fédération canadienne des municipalités (FCM). Sans être un programme d'habitation au sens strict, la Stratégie de partenariats de lutte contre l'itinérance (SPLI) soutient des investissements immobiliers (logement et hébergement) ou toute autre mesure de prévention ou d'accompagnement des sans-abri.

---

12. Une vingtaine de projets d'habitation, souvent sous forme de maisons de chambres, peuvent être recensés.

13. Le programme a été renouvelé en 2006 sous le nom d'Initiative des partenariats de lutte contre l'itinérance (IPLI).

2.4 Quatrième jalon : un cadre de référence
sur le soutien communautaire

L'une des manifestations les plus novatrices dans la prise en compte de la vulnérabilité tant économique que psychosociale en regard du logement est assurément l'adoption, en 2007, du Cadre de référence sur le soutien communautaire en logement social par le ministère de la Santé et des Services sociaux (MSSS) et par la SHQ. La nouveauté réside en partie, pour le MSSS, dans le fait de financer des organismes relevant d'un autre secteur que le sien, celui de l'habitation. Pendant longtemps, en effet, le Programme de soutien aux organismes communautaires (PSOC) administré par ce ministère ne reconnaissait pas les organismes d'habitation communautaire (puisqu'ils relevaient du secteur de l'habitation) et privilégiait les ressources d'hébergement. Le nouveau cadre est, au départ, le fruit des revendications des OSBL d'habitation et des groupes de défense des droits en itinérance. Par la suite, ces demandes font l'objet d'une négociation entre le MSSS et la SHQ. Le Cadre de référence reconnaît l'importance, pour des personnes vulnérables, d'assumer pleinement leur statut de locataires dans des ensembles d'habitation communautaire. Les interventions en soutien communautaire consistent, par exemple, à assurer la sécurité des lieux et à offrir une présence rassurante en cas de crise ou de conflit entre des locataires. Cela peut aussi signifier accueillir les locataires dans les ensembles d'habitation, leur faire connaître les règles de fonctionnement et de bon voisinage, soutenir leur participation dans des comités ou des projets collectifs et, dans certains cas, animer la vie collective par des loisirs ou des repas communautaires. Elles ne visent pas à se substituer aux services sociaux courants relevant du MSSS mais elles les complètent. Il est reconnu que ces interventions, même ponctuelles, contribuent à la stabilité résidentielle des personnes (Jetté *et al.*, 1998).

C'est dans les OSBL d'habitation du centre-ville de Montréal qu'ont d'abord été expérimentées, puis formalisées avec l'appui de la Fédération des OSBL d'habitation de Montréal (FOHM), les pratiques de soutien communautaire en logement. Ces pratiques s'adressaient à des personnes itinérantes et très vulnérables dont le cumul des problèmes rendait difficile l'accès et la conservation de leur logement dans le marché locatif privé ou même les HLM. L'approche du soutien communautaire repose donc sur le statut de locataire (contrat) à l'encontre de celui de bénéficiaire (rapport de dépendance) de la personne qui, même très fragilisée, peut vivre dans un logement en autant qu'on lui accorde un soutien souple et adapté.

Les effets concluants des pratiques de soutien communautaire en logement social ont été graduellement reconnus par un ensemble plus large d'intervenants et d'acteurs ; ces pratiques ont été répandues sur d'autres territoires puis à d'autres groupes de personnes vulnérables (Ducharme et Dumais, 2007). Par exemple, on y reconnaît maintenant l'importance de la sécurité et des loisirs pour les personnes âgées ou les personnes vivant seules. Ce cadre constitue la dernière pièce en date des politiques touchant l'habitation communautaire.

3. À chaque filière sa logique d'action et son habitation...

Les politiques sociales ne naissent ni ne vivent en vase clos. Les crises successives qui ont secoué les finances publiques, les contestations du modèle hospitalo-centriste et la montée de la pauvreté liée à l'exclusion sociale ont influencé les politiques d'habitation. Même si les modes d'opération ont pu varier d'une filière à l'autre, les nouveaux contextes ont tous favorisé des formes de désinstitutionnalisation ou de non-institutionnalisation. Des groupes de personnes traditionnellement hébergées, voire enfermées, se sont manifestés au premier chef, créant une demande pour des logements communautaires.

Au cours des années 1980 et 1990, au moment même où les projets communautaires pour aînés connaissent une croissance sans précédent, d'autres stratégies sont proposées par le MSSS pour faire fléchir les taux d'institutionnalisation des personnes âgées. Aux centres d'accueil, dont on resserre les critères d'admissibilité en faveur des plus malades, on vient opposer le discours sur les services de maintien à domicile (Vaillancourt, Aubry et

Jetté, 2003). Le tout est accompagné d'un laisser-faire politique favorisant le développement sans précédent des résidences privées avec services pour aînés (Charpentier, 2002).

En psychiatrie, les interventions gouvernementales ont été marquées, depuis les années 1960, par trois grandes vagues de déhospitalisation (1962, 1970 et 1998) ainsi que par le développement des pratiques de non-institutionnalisation. Le mouvement, initié par les «psychiatres modernistes», est appuyé par des groupes de parents et une opinion publique de plus en plus réfractaire au modèle asilaire. Les ressources d'hébergement substituts ou *extra muros* développées sous la supervision des hôpitaux (familles d'accueil, pavillons, foyers de groupe, appartements supervisés) n'ont cependant pas suffi à répondre aux besoins des personnes psychiatrisées. À la fin des années 1990, les ratés de la désinstitutionnalisation en santé mentale ont été publiquement admis et documentés (MSSS, 1997). On les sait en partie responsables de l'itinérance et de la judiciarisation des personnes éprouvant des troubles graves de santé mentale.

Tel qu'il a été mentionné précédemment, les premières interventions gouvernementales structurantes pour le logement des sans-abri ont coïncidé avec l'année internationale qui leur est consacrée par l'Organisation des Nations Unies (ONU), en 1987. Sous l'impulsion de la SHQ et de certains groupes de défense des droits dans les centres-villes de Montréal et de Québec, les initiatives impliquant des logements propriétés des OSBL ou gérés par eux, auxquels sont jumelés des services ou des activités de soutien communautaire adaptés à des personnes marginalisées, innovent en proposant une alternative aux traditionnels refuges (Drolet, 1993).

De leur côté, les mouvements de personnes handicapées, sous l'égide des organismes de défense des droits et de l'Office des personnes handicapées du Québec (OPHQ), ont été à l'avant-garde de plusieurs réformes pour favoriser l'autonomie et la pleine participation des personnes handicapées à la société. Dès les années 1970, inspirés par le mouvement de vie autonome (*Independent Living Movement*) et le courant de normalisation, ils ont réclamé des ressources résidentielles alternatives aux centres d'accueil et le droit de vivre dans son propre logement (Boucher, Fougeyrollas et Majeau, 2003). Par la suite, l'affirmation du courant de vie auto-nome coïncide avec l'adoption successive, au Québec, d'une série de politiques favorisant la désinstitutionnalisation des personnes hébergées ou, plus récemment, leur non-institutionnalisation. Certes, à l'intérieur des mouvements se profilent des sous-groupes de personnes vivant des situations de handicap différentes, allant des problèmes de santé mentale à la déficience intellectuelle, en passant par les incapacités physiques motrices, sensorielles ou organiques. Sur cette base, on constate qu'il y a eu différentes vagues de désinstitutionnalisation et diverses périodes de reven-dications pour des formules nouvelles de ressources résidentielles (Proulx, 2003).

La configuration actuelle du parc de logements communau-taires, particulièrement dans le cas des OSBL, résulte de la ren-contre entre la demande de logements, exprimée au niveau local, et une certaine régulation de l'offre par l'État qui cherche à assurer l'équité entre les territoires et aussi entre les populations cibles. De même, la présence ou non de ces « filières » et leur importance relative dans la sphère de l'habitation communautaire découle de leurs logiques d'action propres. Dans les sections qui suivent, nous laissons délibérément de côté certains groupes et nous nous attar-dons aux filières des personnes âgées, des personnes ayant des problèmes de santé mentale, des personnes ayant une incapacité physique ou présentant une déficience intellectuelle et des autoch-tones. Plus précisément, nous examinerons comment s'exercent les dynamiques entre ces groupes, l'habitation communautaire et les autres formes de ressources résidentielles et d'hébergement.

3.1 Les personnes âgées : vers des milieux de vie substituts ?

Au Québec, les programmes d'habitation finançant le logement public ou communautaire ont toujours destiné une importante partie de leurs réalisations aux personnes âgées autonomes et, plus récemment, à celles en légère perte d'autonomie (Renaud, 2008). Dans le secteur de l'habitation communautaire, il s'agit en 2007 de près de 20 000 logements. Il va sans dire que le vieillis-sement de la population exerce une forte demande pour des projets d'habitation destinés aux aînés en perte d'autonomie. Ces problèmes d'autonomie liés au vieillissement de locataires jadis autonomes posent également des défis de plus en plus grands aux gestionnaires des OSBL d'habitation dans lesquels les services sont inexistants ou insuffisants (Ducharme et Dumais, 2007). Bien que les coopératives d'habitation aient plutôt orienté leurs missions vers les familles et les ménages à faible revenu, on y retrouve une soixantaine d'ensembles destinés aux personnes âgées (comme Haus der Heimat à Dorval, Villa Trois étoiles pour les retraités d'Esso à Pointe-aux-Trembles, Le Trianon à Chicoutimi, l'Accueil à Saint-Jean-Port-Joli). De plus, la majorité des coopératives d'habitation voient leurs locataires vieillir, et on constate que la pauvreté s'accompagne souvent d'autres vulnérabilités. Une réflexion est entreprise à ce chapitre au sein du mouvement coopératif québécois qui veut « [...] arrimer à long terme les actions entre l'habitation et le réseau de la santé dans une optique de maintien dans le milieu de vie » (Brassard, 2006 : 5).

Le MSSS, après avoir encouragé pendant plusieurs années (avec une complicité coupable, pourrait-on dire) le déploiement de résidences privées avec services sans aucune forme d'encadrement étatique, tente maintenant de diversifier les ressources résidentielles avec services. Plusieurs OSBL d'habitation pour aînés sont maintenant pressentis pour accueillir des personnes âgées en lourde perte d'autonomie qui étaient traditionnellement orientées vers des centres d'hébergement et de soins de longue durée (CHSLD). Dans son plan d'action 2005-2010 pour les aînés, le MSSS propose de sortir de la polarité soutien à domicile / hébergement public et d'ouvrir la voie à des arrangements diversifiés de services de logements. Il propose notamment « le déploiement de formules résidentielles adaptées à des caractéristiques locales variées » ainsi qu'à des « clientèles spécifiques comme les personnes atteintes d'Alzheimer et autres affections apparentes de même que l'augmentation de l'accès au logement en vertu du programme AccèsLogis [...] pour les aînés » (MSSS, 2005 : 38). Les plans d'actions régionaux pour les services aux aînés en perte d'autonomie prévoient également l'établissement de places de type ressources intermédiaires (RI) dans des habitations communautaires.

En bref, les habitations communautaires pour aînés sont en pleine transformation. Environ la moitié des organismes communautaires d'habitation destinés aux aînés, soit près de 200, en sont venus à combiner les statuts d'habitation communautaire et de résidence avec services pour les personnes âgées, telles que ces dernières sont définies par le MSSS[14], ou sont encore plus axés sur les soins de milieu de vie substitut[15]. À ce jour, selon le Conseil des aînés, 10 % des places de type milieu de vie substitut appartiennent à des OSBL ou à des coopératives d'habitation. Les autres unités se trouvent principalement dans des résidences privées (55 %), des centres d'hébergement et de soins de longue durée (CHSLD) (29 %), des ressources résidentielles intermédiaires (RI) ou de type familial (RTF) (Villeneuve, 2007).

Autre nouveauté, les résidences pour personnes âgées avec services sont désormais soumises à une certification sous l'égide du MSSS, attestant leur conformité à certains critères de qualité. Bien qu'accueillie favorablement, cette certification reflète les nouveaux besoins des ensembles où vivent les aînés. Dans les milieux, la pression liée au vieillissement a été souvent exprimée; elle inquiète les gestionnaires et les locataires eux-mêmes qui craignent de voir leurs milieux de vie s'apparenter de plus en plus aux ressources de type CHSLD (RQOH, 2007). Les milieux associatifs, représentés par la Fédération de l'Âge d'or du Québec (FADOQ) et par l'Association québécoise de défense des droits

---

14. Selon le ministère de la Santé et des Services sociaux, une résidence pour personnes âgées avec services se dit d'un «immeuble d'habitation collective où sont offerts, contre le paiement d'un loyer, des chambres ou des logements destinés à des personnes âgées et une gamme plus ou moins étendue de services, principalement reliés à la sécurité et à l'aide à la vie domestique ou à la vie sociale, à l'exception d'une installation maintenue par un établissement et d'un immeuble ou d'un local d'habitation où sont offerts les services d'une ressource intermédiaire ou d'une ressource de type familial» (article 346.1 de la *Loi sur les services de santé et les services sociaux*).

15. Selon le Conseil des aînés, le concept de milieu de vie substitut désigne le «lieu constituant l'adresse permanente d'une personne qui lui donne accès, en plus du gîte, au couvert et généralement à des services d'aide et d'assistance et même à des soins de santé». Les milieux de vie substituts incluent, quant à eux, les établissements de santé de type CHSLD et les ressources intermédiaires (RI) et celles de type familial (RTF).

des personnes retraitées et préretraitées (AQDR), préconisent le « développement des ressources d'habitation à mi-chemin entre l'hébergement et le domicile pour les aînés en perte d'autonomie en restant conscient des responsabilités associées à une clientèle fragilisée » (FADOQ, 2007 : 18). En ce sens, les résidences communautaires pour aînés reflètent une recherche tâtonnante d'alternatives à la formule des CHSLD.

3.2 Les personnes ayant des problèmes de santé mentale

En 2007, avec un peu plus de 70 organismes d'habitation ayant pour principale mission l'accueil des personnes ayant des problèmes de santé mentale (représentant 1 600 logements), on ne peut pas dire que l'habitation communautaire constitue le mode résidentiel dominant de cette filière[16]. Le profil de ces différentes réalisations demeure assez diversifié. Ainsi, plusieurs projets ont été développés dans une optique d'alternative à l'hébergement ou à l'institution. C'est le cas des organismes Projet P.A.L. (Programme d'aide au logement) de Verdun et de PECH (Programme d'encadrement clinique et hébergement) de Québec qui offrent des logements permanents avec soutien à des personnes présentant de troubles graves de santé mentale (Morin, 2003 ; Bizier, 2007). Reprenant l'idée du *Housing first*, le coordonnateur du PECH explique que « ce n'est pas le diagnostic du psychiatre qui doit entraver l'individu dans son parcours vers le logement et que [...] la possibilité d'habiter un logement subventionné joue un rôle significatif dans le rétablissement des utilisateurs. Ils se sentent en sécurité, enfin chez eux » (Côté, 2007 : 55). L'intérêt de ces projets est de pouvoir offrir, au moyen de logements, des lieux normalisants en dehors des systèmes de soins et des stigmates qui s'y rattachent.

Notons toutefois que d'autres initiatives ont emprunté au modèle de l'hébergement, soit par des formules transitoires, soit parce que l'accès au logement demeure lié à la prestation de ser-

---

16. Évidemment, on soupçonne qu'un nombre beaucoup plus élevé de personnes bénéficiaires de services en santé mentale réside, de façon non déclarée, dans des logements propriétés de coopératives et d'OSBL.

vices dans le cadre d'un contrat de l'organisme avec l'hôpital ou le Centre de santé et de services sociaux (CSSS). En ce sens, les habitations communautaires recèlent, à plus petite échelle, les tensions et les débats qui animent ce milieu depuis quelques années. Par exemple, doit-on privilégier des logements regroupés ou dispersés ? Dans quelle mesure les locataires doivent-ils être tributaires des systèmes de soins dans leurs propres logements ? Avec les vagues successives de désinstitutionnalisation, l'offre résidentielle à l'endroit des utilisateurs des services de santé mentale a connu de grandes transformations. Depuis l'enfermement asilaire, en passant par les ressources d'hébergement dans la communauté, un bilan de la politique en santé mentale, en 1997, a fini par identifier le logement (et notamment le logement subventionné) comme l'assise et la finalité des interventions auprès des utilisateurs. Dans un document, le Comité de la santé mentale y affirme que « le logement constitue le point d'ancrage de l'individu dans la société, la première étape d'une véritable réintégration ; c'est la nouvelle adresse qui rend possible la continuité du traitement » (Dorvil *et al.*, 1997 : 49). On y recommande plus loin « [...] une accessibilité à des logements sociaux décents, peu dispendieux pour toutes les personnes qui désirent un chez-soi, mais aussi des services de soutien flexibles et appropriés » (Dorvil *et al.*, 1997 : 160).

3.3 Les personnes ayant une incapacité physique

La grande contribution du mouvement des personnes handicapées physiques réside assurément dans les mesures d'accessibilité universelle. Pensons aux programmes architecturaux s'appliquant aux immeubles publics et aux logements en général ou à l'adaptation des domiciles. Le courant d'accessibilité universelle exprime la volonté largement partagée par les personnes handicapées de vivre dans le logement de leur choix, dans leur famille, chez elles. Historiquement, les groupes de personnes handicapées ont mis l'accent sur les programmes d'adaptation de domicile ou sur le Programme de supplément au loyer accessible aussi dans des logements privés. Ces programmes, entre autres gérés par des centres de réadaptation au bénéfice de leurs usagers, visaient à éviter les ghettos et à conserver un caractère «normalisant» à leur habitation (OPHQ, 1992). On doit aux mouvements de personnes handicapées et à l'OPHQ de nombreuses bien qu'insuffisantes unités de logements adaptées et disséminées un peu partout dans les ensembles d'habitation communautaires, toutes vocations et formes de propriété confondues. Les nouveaux ensembles résidentiels présentent généralement un grand souci d'accessibilité.

Parmi les OSBL, on recense une quarantaine d'organismes d'habitation destinés principalement à des personnes handicapées physiques. Pour plusieurs, ces projets sont nés de l'initiative des personnes handicapées elles-mêmes, souvent avec l'appui d'organismes du milieu. Mais ils sont nés en dépit de bien des résistances, et parce que l'offre des services à domicile a été longtemps trop fragile. On a aussi noté que, d'une région à l'autre, les établissements publics de la santé ont eu des réactions variées à leur propre pénurie de ressources résidentielles d'hébergement, tantôt en plaçant les adultes en CHSLD, tantôt par une ouverture à des formes alternatives (Proulx, 2003). Plusieurs projets ont été développés pour répondre aux besoins de personnes lourdement handicapées sur le plan moteur, des personnes par ailleurs désireuses de ne plus vivre en CHSLD, voire soucieuses d'y «échapper». Pensons par exemple aux projets du Groupe Logique et aux Habitations sans barrières à Montréal, à Handi-Logement à Richelieu, à l'Îlot résidentiel adapté Drummond. Plusieurs de ces projets, souvent appelés îlots résidentiels, permettent la mise en commun de soins et de services médicaux auxquels certains locataires n'auraient pas accès s'ils vivaient dans des logements isolés les uns des autres. Cette formule est qualifiée par les locataires eux-mêmes «d'entre-deux», entre le logement totalement autonome et le CHSLD (Proulx *et al.*, 2006).

3.4 Les personnes ayant une déficience intellectuelle

Pour les personnes ayant une déficience intellectuelle, l'attrait pour les formules alternatives à l'hébergement est beaucoup plus récent. L'autonomie et la participation sociale des personnes sont des revendications plus tardives de ce groupe et elles résultent aussi d'une plus grande ouverture des parents et des familles au fait que leurs enfants vivent dans un logement (Proulx, 2003). La politique ministérielle de 2001, nommée *De l'intégration sociale à la participation sociale*, a fait de l'accès au logement un créneau de participation sociale et d'inclusion. Les centres de réadaptation tentent maintenant de redéployer leurs services vers les domiciles des usagers. Tandis que les personnes plus âgées ayant une déficience intellectuelle doivent quitter la maison familiale où leurs parents du troisième âge ne peuvent plus subvenir à leurs besoins courants, les plus jeunes souhaitent plus spontanément vivre dans leur domicile.

Cela dit, en dépit des nombreuses initiatives québécoises des années 2000[17], la tendance actuelle semble montrer que l'habitation communautaire demeure une alternative encore résiduelle, voire timide. À preuve, parmi les usagers des centres de réadaptation ayant accès à des ressources résidentielles, environ 90 % sont hébergés et seulement 10 % sont en logement, soit à peine 1 200 personnes. De ces personnes, 10 % vivent dans des coopératives, en comparaison à 60 % en logement privé, 25 % en HLM et 5 % vivent dans d'autres types de logement (Germain *et al.*, 2004). La majorité des initiatives restent pilotées à partir d'un centre de réadaptation en déficience intellectuelle (CRDI) ou avec un CSSS, mais bon nombre sont aussi en lien avec des acteurs de l'habitation (SHQ et GRT). On observe peu de liens avec le secteur de l'habitation communautaire. Plus souvent, des propriétaires privés viennent combler l'offre de logement. Le projet de Logement à soutien gradué, à Laval, où plusieurs dizaines de personnes ont trouvé des appartements individuels, en est un exemple. Par ailleurs, les appartements regroupés semblent correspondre à une des formules souhaitables pour cette population, offrant du soutien civique et communautaire dans un environnement mixte,

---

17. Le LAREPPS étudie actuellement une cinquantaine de projets en habitation développés pour les personnes ayant une déficience intellectuelle, dans le cadre d'une recherche en action concertée du Fonds québécois de la recherche sur la société et la culture (FQRSC) (2007-2009).

sans regrouper dans des ghettos les résidants. Mais les passerelles entre le domaine de la déficience intellectuelle et de l'habitation communautaire sont encore à construire.

3.5 Les autochtones vivant hors des réserves

Bien que la situation du logement des autochtones vivant hors des réserves soit plus qu'auparavant médiatisée, elle demeure assez peu documentée. En 1996, les auteurs du Rapport de la Commission royale d'enquête sur les peuples autochtones qualifiaient d'intolérables les conditions de logement des autochtones du Canada. La Commission affirme que les logements sont « [...] inférieurs en tous les points à la norme canadienne, ils sont le signe visible de la pauvreté et de la marginalisation qui touchent les autochtones de façon disproportionnée » (Dussault et Erasmus, 1996 : 1). Selon un bilan effectué dix ans plus tard, en 2006, les investissements effectués dans les programmes d'habitation hors des réserves par les provinces sont loin de répondre à la demande (Assemblée des premières nations, 2006). L'habitation communautaire des autochtones demeure atypique par rapport au modèle d'habitation collective qui prévaut dans le secteur communautaire en général (Walker, 2008). On dénombre environ 2 000 logements communautaires destinés aux autochtones vivant hors des réserves. La grande majorité est propriété d'Habitat Métis du Nord. Les habitations sont essentiellement des maisons ou des petits ensembles d'appartements disséminés dans une soixantaine de localités de l'Abitibi, du Lac-Saint-Jean, de la Côte-Nord, de la Mauricie ou du Nord-du-Québec. La gestion des logements est confiée à l'OSBL autochtone la Corporation Waskahegen. En 2000, cet organisme a signé une entente de partenariat avec la SHQ, consolidant ainsi son statut de mandataire pour les programmes visant la restauration ou la construction de logements. Du même coup, il ajoutait à la gamme de ses services celui de l'intervention sociocommunautaire, afin d'assurer un soutien mieux adapté à la réalité autochtone.

3.6 En conclusion

Les courants favorisant l'autonomie des personnes traditionnellement hébergées ou «institutionnalisées» ont ouvert la voie à la
recherche d'alternatives par des programmes de maintien à domicile et de suivi intensif en communauté, d'appartements regroupés
et de ressources non institutionnelles avec services, ainsi que
d'habitations communautaires. La Politique de la santé et du bien-
être de 1992 s'inscrit dans le courant voulant que le logement soit
considéré comme l'un des déterminants de la santé et du bien-
être. Plus que le dépassement des formes antérieures, les projets
d'habitations communautaires s'inscrivent donc favorablement
dans la volonté affirmée de certains groupes de personnes exclues
ou vulnérables de définir de nouvelles régulations entre l'État, les
groupes de défense des droits et le secteur communautaire. En
parallèle, les services sociaux et de santé offerts aux populations
vulnérables se sont multipliés à la faveur d'une spécialisation des
professionnels de l'aide, de la santé et de la réadaptation. Cette
nouvelle donne se répercutera aussi sur les approches auprès de
diverses catégories de résidants dans le secteur de l'habitation.
Certains enjeux reliés à ces nouvelles approches sont discutés
dans la quatrième et dernière section.

4. Éléments de discussion

La prise en charge des personnes vulnérables dans des ensembles
d'habitation communautaire entraîne de nombreux enjeux dont
deux retiennent plus particulièrement notre attention : les enjeux
reliés à la catégorisation et à la spécialisation des «clientèles», et
les enjeux relatifs à la dissolution des frontières entre le logement
et l'hébergement.

4.1 La spécialisation des projets
d'habitation communautaire

Les catégories ne sont pas neutres, nous l'avons déjà dit. Le frac-
tionnement en populations ciblées procède souvent de discours
et de pratiques professionnelles ou technocratiques ainsi que

d'une dérive des problèmes sociaux vers la création de « groupes à problèmes ». Mais les mouvements sociaux et les groupes de citoyens revendiquent aussi une reconnaissance de leurs besoins particuliers. Avec la spécialisation des pratiques et la différenciation des identités, les populations cibles de l'habitation communautaire, particulièrement des OSBL, débordent des catégories originelles qui, dans les années 1970, se limitaient à la famille et aux personnes âgées.

Les catégories de populations se définissent en raison du jeu de l'offre (les programmes ciblés et les spécialités de professions socio-sanitaires) et de la demande manifestée par les groupes eux-mêmes. Les catégories retenues dans la base de données du Réseau québécois des OSBL d'habitation (RQOH) reflètent bien les tendances à l'œuvre dans ce champ de pratique. Par exemple, la catégorie « personnes seules à faible revenu » est utilisée par plusieurs organismes qui accueillent, dans les faits, des personnes marginalisées à plus d'un titre. Les locataires de ces ensembles partagent plusieurs caractéristiques des catégories socio-sanitaires « santé mentale » ou « toxicomanie ». L'intervention dans les projets d'habitation de « personnes seules à faible revenu » repose souvent, dès lors, sur une philosophie d'intervention centrée sur le logement ou *Housing first*.

Par ailleurs, ces nouvelles configurations par classes de services ou de « clientèles » posent des questions sur les cibles du logement communautaire et sur sa finalité. Si le bien-fondé des formules spécialisées d'habitation communautaire fait généralement consensus, des voix s'élèvent pour souligner les dangers de la diminution de l'offre de tels logements pour des ménages « ordinaires », c'est-à-dire dont la contrainte est avant tout d'ordre financier. En revanche, pour certains tenants d'une régulation marchande du logement, il apparaît désormais raisonnable « d'accélérer le virage entrepris avec les volets II et III d'AccèsLogis et d'accorder ses priorités aux besoins spécifiques d'un plus grand nombre de ménages » (CAT, 2002 : 82). Selon les groupes qui préconisent une intervention importante de l'État en logement subventionné, les politiques devraient accroître l'offre de tels logements de manière à ce que « toutes les personnes ou familles mal logées [puissent y] avoir accès, sans aucune autre forme d'exigence » (FRAPRU, 2007).

D'autres critiques expriment certaines craintes de voir l'habitation communautaire se voir dicter des règles appartenant à un autre système : celui des soins aux personnes. Craignant d'être inféodés à la logique de la santé, ils réclament « des logements, pas des lits » (Sunberg, 2006). C'est le cas de représentants du service de l'habitation de la Ville de Montréal qui, à titre de mandataires de la SHQ pour la livraison des programmes AccèsLogis et Logement abordable Québec (LAQ), affirment leur préférence pour des programmes d'habitation qui accordent une place suffisante aux besoins de logement des personnes « ordinaires », ajoutant que « [...] [le] rôle particulier des villes ne doit pas être subordonné aux politiques du MSSS, plus orientées vers les soins aux personnes » (Laferrière et Wexler, 2006 : 9). Des régulations récentes vont dans ce sens. Ainsi, la réforme engagée dans les réseaux locaux de santé et de services sociaux encourage désormais des ententes de services avec des organismes communautaires.

L'adoption récente par le MSSS et la SHQ du Cadre de référence sur le soutien communautaire en logement social et son financement par le MSSS n'est pas sans poser de risques à ceux qui en ont fait la promotion. Bien que ce cadre soit vu comme une solution innovante, il survient dans un contexte où les politiques du MSSS se développent en termes de plans cliniques et de ciblage des populations, souvent loin des logiques propres à l'habitation.

4.2 Vers un libre-échange entre le logement et l'hébergement ?

L'autre effet majeur des nouvelles formules d'habitation communautaire avec services est assurément la dissolution des frontières jadis plus tranchées entre l'univers du logement et celui de l'hébergement. Les attributs associés au logement locatif, assujetti aux règles de la Régie du logement, et ceux de l'hébergement, associé aux soins, sont schématisés au tableau 5.3. Les indices d'hybridation sont nombreux. Nous pensons d'abord à l'utilisation des programmes d'habitation communautaire à des fins d'héber-gement transitoire (pour des femmes victimes de violence, des personnes en situation de crise, des jeunes en difficulté, des per-sonnes en fin de vie, des personnes convalescentes) ou à l'intro-duction d'unités de logements temporaires ou transitoires dans les volets «besoins particuliers» des programmes PSBL-P et AccèsLogis (volets II et III). Ici, le principe du maintien dans les lieux tel qu'il est édicté dans le Code civil et l'idée du «chez-soi» sont dissous au profit d'un plan d'intervention, d'un traitement, d'une sortie de crise. Dans d'autres cas, la durée de séjour est plus longue, ce qui rend difficile la démarcation entre le logement et l'hébergement. C'est le cas des auberges ou des maisons destinées aux jeunes ou aux mères monoparentales dont les séjours varient entre un (1) an et cinq (5) ans. Ces maisons sont déterminées à la fois par des baux mais aussi par des objectifs de vie, des plans d'intervention au terme desquels les locataires sont invités à céder leur place à d'autres. Enfin, que dire des projets destinés à des personnes atteintes de la maladie d'Alzheimer ou du sida, aux traumatisés crâniens ou aux convalescents?

Tableau 5.3

**Les attributs respectifs des concepts
de logement et d'hébergement**

Logement	Hébergement
Accès sur la base des revenus et des conditions de logement	Accès sur la base d'une condition psychosociale ou médicale
Permanent	Transitoire
Chez soi	Chez eux
Libre-choix	Placement
Statut de locataire	Statut de bénéficiaire
Services sur une base volontaire et optionnelle	Adhésion à un plan de services ou traitement
Bail	Plan d'intervention / contrat d'hébergement

Inspiré de Ridway et Zipple (1990) dans Morin (1992).

Les nouvelles associations avec le secteur public de la santé et des services sociaux ont aussi eu pour effet de modifier l'accès aux logements. Ainsi, actuellement, les projets destinés aux personnes âgées en légère perte d'autonomie prévoient que la sélection des personnes fasse l'objet d'une évaluation par le centre local de services communautaires (CLSC)[18] (SHQ, 2005). L'accès et le maintien dans un logement communautaire peuvent aussi, dans certains cas, être liés à l'obligation de s'engager dans un service, un traitement. Cette pratique est observée dans certaines ressources résidentielles en santé mentale ou visant des personnes toxicomanes ou marginalisées. Peut-on alors parler de logement? Que peut-on exiger des locataires en contrepartie de services de cafétéria, de sécurité? Quelle logique doit dominer? Le logement ou l'accès aux services? Même au plan juridique, la jurisprudence demeure mitigée sur la question[19]. Pendant ce temps, de l'autre côté de la frontière séparant le logement de l'hébergement, les CHSLD et les ressources d'hébergement s'efforcent de recréer des milieux de vie qui s'apparentent le plus possible à son propre logement, un « chez-soi ». Tout se passe comme si on avait signé un traité de libre-échange entre le logement et l'hébergement...

Conclusion

Nous venons de dresser un état des lieux qui montre un développement important de l'habitation communautaire s'adressant à des personnes vulnérables. Il appert en effet que, comme bien d'autres secteurs d'activité, l'habitation ait été entraînée en partie dans le grand sillon socio-sanitaire du providentialisme. L'habitation communautaire ne s'adresse plus seulement aux catégories de population pauvres économiquement; elle embrasse celles dont on décrit les vulnérabilités ou les carences sur les plans de la santé et du lien social. L'habitation avec soutien devient de

---

18. Aujourd'hui les centres de santé et de services sociaux (CSSS).
19. Les jugements de différents tribunaux ont donné raison tantôt au principe du maintien dans les lieux relevant du Code civil, tantôt à la prépondérance des services sur le bail.

plus en plus la référence, non seulement pour les OSBL qui l'ont développée, mais aussi dans certaines coopératives.

Les défis gigantesques de l'aide aux populations vulnérables sont partagés entre le réseau public de la santé et des services sociaux et les acteurs de l'habitation. La demande de services aux résidants devrait non seulement s'accroître en volume mais aussi en complexité. Les acteurs de l'habitation communautaire s'inquiètent déjà des pressions nombreuses que subit ce secteur en raison de la surcharge du système public de santé et de services sociaux. Le soutien communautaire essaie de résister, semble-t-il, à une espèce de reconversion de son champ traditionnel d'action et à la tentation de se déployer plus nettement dans le socio-sanitaire. Pourra-t-il continuer ainsi? Doit-il le faire? Et sinon, comment s'assurer de fournir le soutien et les services nécessaires aux résidants, selon les types de vulnérabilités qu'ils présentent? La question n'est pas seulement politique ou financière: elle se situe dans de nouveaux rapports sociaux – de consommation et de production – où les finalités d'*empowerment* conjugués aux progrès techniques et des savoirs spécialisés aboutissent à des tensions entre la tradition et le changement, entre la consolidation et l'innovation. L'habitation communautaire n'y échappe pas.

De nouveaux champs de recherche apparaissent en regard de l'habitation communautaire. D'abord, il serait nécessaire de bien suivre l'évolution des rapports économiques et politiques entre l'État et le secteur communautaire, mais aussi, au sein même de ce dernier, entre les fournisseurs d'habitat et de soutien et le reste de la société civile. Ensuite, sur le plan de l'intervention auprès des personnes, une meilleure connaissance de l'état de santé des locataires ou de leur vulnérabilité sociale et économique est souhaitable. Afin de développer le mieux possible le soutien communautaire, il faut bien connaître les besoins des populations et concevoir les manières les plus appropriées d'intervenir. Ces besoins sont nouveaux pour le secteur, en raison de la diversification des populations de résidants; pensons aux personnes immigrantes, aux autochtones, aux personnes handicapées physiquement ou ayant une déficience intellectuelle.

L'évaluation de l'effet des pratiques de soutien communautaire en habitation sur la qualité de vie devrait aussi apparaître comme un nouveau thème de recherche. Cette évaluation est souhaitable pour développer l'habitation communautaire, en dépit des velléités de contrôle bureaucratique toujours présentes et menaçantes qu'il serait nécessaire d'écarter. Par exemple, il serait utile de faire l'évaluation du Cadre sur le soutien communautaire qui vient d'être officialisé par les ministères responsables de la santé et de l'habitation du Québec. Enfin, il serait important d'identifier des indicateurs capables de mesurer les forces et les faiblesses de l'habitation communautaire comme vecteur d'intégration et de développement social.

Bibliographie

Assemblée des Premières Nations (2006). *Les dix ans de la Commission royale d'enquête sur les peuples autochtones*, Ottawa.

Bélanger, P. R et B. Lévesque (1991). « La théorie de la régulation. Du rapport salarial au rapport de consommation », *Cahiers de recherche sociologique*, n° 17, p. 17-51.

Bizier, V. (2007). *Le Projet d'encadrement clinique et d'hébergement (PECH): monographie d'un organisme ayant un volet d'hébergement transitoire et de soutien pour des personnes ayant des troubles graves de santé mentale*, Montréal, UQAM, Cahiers du LAREPPS, n° 07-02.

Boucher, N., P. Fougeyrollas et P. Majeau (2003). "French-speaking Contributions to the Disability Rights Movement in Canada and Internationally: from a Québec Perspective", dans Enns, H. et A. Neufeld (dir.), *In Pursuit of Equal Participation*, Concord, Cactus Press, p. 169-195.

Boyer, R. (2002). « Aux origines de la théorie de la régulation », dans Boyer, R. et Y. Saillard (dir.), *Théorie de la régulation, l'état des savoirs*, Paris, La Découverte, p. 21-30.

Brassard, M. J. (2006). *Les partenariats publics coopératifs dans le domaine de la santé au Québec*, Saint-Marc-sur-Richelieu, communication présentée au LAREPPS.

CAT (2002). *Mandat d'initiative sur le logement social et abordable. Document de consultation*, Québec, Assemblée nationale du Québec, Commission de l'aménagement et du territoire.

Charpentier, M. (2002). *Priver ou privatiser la vieillesse ?*, Québec, Presses de l'Université du Québec.

Châtel, V. et S. Roy (2008). *Penser la vulnérabilité. Visages de la fragilisation du social*, Québec, Presses de l'Université du Québec.

Côté, B. (2007). *En santé mentale, la pratique de PECH*, Communication dans le cadre du colloque « L'avenir nous habite » tenu le 9 novembre à Montréal, Réseau québécois des OSBL d'habitation.

Dorvil, H., H.A. Guttman, N. Ricard et A. Villeneuve (1997). *Défis de la reconfiguration des services de santé mentale*, Québec, Le Comité de la santé mentale du Québec.

Drolet, N. (1993). « Le logement permanent avec support communautaire : une solution préventive à l'itinérance », *Intervention*, vol. 94, p. 6-14.

Ducharme, M.-N. avec la collaboration de L. Dumais (2007). *Les OSBL d'habitation au Québec, l'offre et les besoins en soutien communautaire*, Montréal, RQOH.

Ducharme, M. N. (2002). *Intervention auprès des personnes vulnérables : de nouvelles alliances entre logement social et accompagnement social*, Colloque CIRIEC Canada, Économie sociale, économie et coopératives, dans le cadre du Congrès de l'ACFAS, Québec.

Dussault, R. et G. Erasmus (1996). *Rapport de la Commission royale d'enquête sur les peuples autochtones*, Ottawa, Ministère des Approvisionnements et Services, vol. 3, section 4.

FADOQ (2007). *Des enjeux connus, des moyens à prendre*, Mémoire présenté dans le cadre de la consultation publique sur les conditions de vie des aînés, Montréal, Fédération de l'Âge d'or du Québec.

FRAPRU (2007). *Privé de logement. Place au logement social*, Front d'action populaire en réaménagement urbain, www.frapru.qc.ca/place2007.

Germain, A. *et al.* (2004). *Modèles résidentiels en émergence. Moins d'hébergement, plus de soutien*, Congrès de l'AIRHM, Rimouski.

Jetté, C. *et al.* (1998). *Évaluation du logement social avec support communautaire à la Fédération des OSBL d'habitation de Montréal (FOHM)*, Montréal, UQAM, Cahiers du LAREPPS, n° 97-08.

Laferrière, S. et M. Wexler (2006). *Les virages milieux et l'habitation : un débat*, Communication dans le cadre du congrès de l'Association canadienne-française pour l'avancement des sciences (ACFAS).

MSSS et SHQ (2007). *Cadre de référence sur le soutien communautaire en logement social*, Québec, Ministère de la Santé et des Services sociaux et Société d'habitation du Québec.

MSSS (2005). *Un défi de solidarité. Les services aux aînés en perte d'autonomie. Plan d'action 2005-2010*, Québec, Ministère de la Santé et des Services sociaux.

MSSS (1997). *Orientations pour la transformation des services de santé mentale,* Document de consultation, Québec, Ministère de la Santé et des Services sociaux.

Morin, P. (2003). *Projet P.A.L.: monographie d'une ressource alternative en santé mentale*, Ottawa, SCHL.

Morin, P. (1992). « Être chez soi : désir des personnes psychiatrisées et défis des intervenants », *Nouvelles Pratiques Sociales*, vol. 5, n° 1, p. 47-61.

OPHQ (1992). *Bilan du suivi des recommandations de la politique À part... Égale*, Québec, Office des personnes handicapées du Québec, Ministère de la Santé et des Services sociaux.

Proulx, J. (2003). « Les ressources résidentielles pour les personnes ayant une déficience physique ou intellectuelle : entre l'ancien et le nouveau », dans Vaillancourt, Y., J. Caillouette et L. Dumais (dir.), *Les politiques sociales s'adressant aux personnes ayant des incapacités au Québec*, Montréal, UQAM, Cahiers du LAREPPS, n° 02-11 et R-09-2002, p. 306-348.

Proulx, J., L. Dumais, J., Caillouette et Y. Vaillancourt (2006). *Les services aux personnes ayant des incapacités au Québec : rôle des acteurs et dynamiques régionales*, Montréal, UQAM, Cahiers du LAREPPS, n° 06-12.

Renaud, F. (2008). « Des locataires âgés qui s'engagent dans le logement social au Québec », dans S. Guérin (dir.), *Habitat social et vieillissement : représentations, formes et liens*, Paris, La documentation française, p. 127-135.

RQOH (2007). *De la précarité à la dignité*, Mémoire présenté à la consultation publique sur les conditions de vie des aînés, Montréal, Réseau québécois des OSBL d'habitation.

SHQ (2006). *Règlement sur l'attribution des logements à loyer modique*, Société d'habitation du Québec (LRQ, C S-8a. 86).

SHQ (2005). *Guide d'élaboration des projets AccèsLogis Québec, chapitre 6*, Québec, Société d'habitation du Québec.

SHQ (1992). *La Société d'habitation du Québec : une histoire en trois mouvements – 1967-1992*, Québec, Société d'habitation du Québec.

Sunberg, A. (2006). *Dîner panel. Quelle politique pour le soutien communautaire en logement social ?* Actes du colloque « Parce que l'avenir nous habite » tenu le 9 novembre 2006 à Montréal, Réseau québécois des OSBL d'habitation.

Vaillancourt, Y. et M.-N. Ducharme (2000). *Le logement social, une composante importante des politiques sociales en reconfiguration: état de la situation au Québec*, Montréal, Cahiers du LAREPPS, UQAM, n° 00-08.

Vaillancourt, Y., F. Aubry et C. Jetté (dir.) (2003). *L'économie sociale dans les services à domicile*, Québec, Presses de l'Université du Québec.

Vaillancourt, Y. et M. Charpentier (dir.) (2005). *Les passerelles entre l'État, le marché et l'économie sociale dans les services de logement social et d'hébergement pour les personnes âgées*, Montréal, UQAM, Cahier du LAREPPS, n° 05-21.

Villeneuve, J. (2007). *État de situation sur les milieux de vie substituts pour les aînés en perte d'autonomie*, Québec, Conseil des aînés.

Walker, R. (2008). "Social Housing and the role of the Aboriginal Organizations in the Canadians Cities", *IRPP Choices*, Institut de recherche en politiques publiques, vol. 14, n° 4, p. 4-18.

Conclusion

Marie J. Bouchard

L'angle sous lequel nous avons abordé le logement communautaire au Québec dans cet ouvrage est celui de l'innovation sociale. Cette notion renvoie aux pratiques et interventions ainsi qu'aux produits et services novateurs qui ont trouvé preneur au sein des institutions, des organisations ou des communautés et dont la mise en œuvre résout un problème, répond à un besoin ou à une aspiration. Le processus d'innovation sociale se caractérise, entre autres, « par la participation et la coopération d'une diversité d'acteurs, par l'échange et la création de connaissances et d'expertises et par la participation des utilisateurs [...] »[1].

En économie sociale, deux facteurs donnent naissance aux innovations. Le premier est un besoin ou une aspiration non comblé par le marché ou par l'État. Le second est la mise à contribution de l'imagination des acteurs concernés pour trouver des solutions alternatives en créant des entreprises qui répondent à leurs valeurs. Dans le mouvement de l'habitation communautaire au Québec, trois registres de valeurs se croisent. Le premier est celui lié à l'**autogestion** (même si elle est rarement nommée comme telle) qui motive à organiser sur une base citoyenne, locale et autonome des ensembles d'habitation conviviaux à l'échelle

---

1. Rollin, J. et V. Vincent (avec la coll. de D. Harrisson) (2007). *Acteurs et processus d'innovation sociale au Québec*, Québec, Université du Québec. Pour des études sur l'innovation sociale, voir les travaux du Centre de recherche sur les innovations sociales (CRISES), www.crises.uqam.ca.

humaine, contrôlés démocratiquement par leurs résidants et leurs représentants. Le deuxième registre relève d'une conception de l'habitat comme un **bien économique collectif** ne participant pas aux effets de la spéculation et dont le prix doit être durablement accessible aux ménages des groupes sociaux qui en ont le plus besoin. Quant au troisième, il résulte d'une culture de **gouvernance partenariale**, où le dialogue et la négociation entre les acteurs de la société civile et les pouvoirs publics favorisent un processus de construction conjointe des politiques publiques. Des tensions existent bien sûr, ne serait-ce que celles qui sont inhérentes à la nature de chacun des acteurs et des pratiques inspirées de ces valeurs partagées ou non. Et les tensions peuvent même, par moments, devenir de réels conflits. Sans être toujours perceptible, le croisement de ces visions et de ces acteurs fait néanmoins en sorte que trois innovations sociales en résultent.

Une première innovation se situe au plan du **rapport de consommation**. Un nouveau mode de prise en charge du service de logement voit le jour. Deux formules juridiques sont mobilisées, l'association ou organisme sans but lucratif (partie III de la *Loi des compagnies* et autres lois) et la coopérative (*Loi des coopératives*). Ensemble, elles se distinguent du logement locatif du marché commercial, ayant en commun une structure de gouvernance sous contrôle de la société civile et en assurant une stabilité d'occupation dans des logements de qualité dont les loyers sont inférieurs à ceux du marché. La différenciation de l'habitat communautaire des autres formes d'appui au logement social tient au mode de propriété, qui est collectif sans être public, à l'autonomie des organisations, privées sans être à but lucratif, et au statut des résidants, qui sont des locataires souvent regroupés dans des milieux mixtes au plan socioéconomique. Ces derniers comptent globalement davantage de personnes seules, de femmes, de personnes âgées et de ménages à faible revenu que la population du Québec. Les OSBL ciblent davantage des groupes plus vulnérables de la population et développent des services de soutien communautaire qui leur sont destinés. Au moins un résidant siège au conseil d'administration de 65 % des OSBL alors que c'est la totalité du conseil d'administration des coopératives qui est composé de résidants. La complémentarité des deux formules est illustrée par les innovations de produits et de services qui s'y développent. D'autres formules coopératives ou sans but lucratif ainsi que d'autres modes de financement ont été envisagées à différents moments de l'histoire, mais n'ont encore jamais été développés à une large échelle.

La deuxième innovation concerne le **rapport de production**. Le mode de production du logement social est décentralisé, les groupes de ressources techniques, regroupés en association dans tout le Québec, étant les principaux agents de développement du logement communautaire et reconnus comme tels par la Société d'habitation du Québec. Ces organismes communautaires et des regroupements fédératifs agissent à titre d'intermédiaires entre le groupe de locataires, les administrations publiques et les acteurs de l'environnement financier et du bâtiment. Des regroupements de coopératives et d'OSBL se sont créés en parallèle, la structuration des coopératives étant relativement plus ancienne que celle des OSBL. Deux modèles de fédérations existent dans chacun des cas. La plupart des fédérations d'OSBL et de coopératives offrent des services à leurs membres (conseil en gestion, gestion financière, assurances collectives, etc.). Certaines fédérations d'OSBL ont pour mission principale la défense et l'aide aux membres et ne mettent pas en œuvre d'autres services. Certaines fédérations de coopératives offrent, en plus des services, des activités de développement de nouvelles coopératives, soit de manière directe ou par la voie d'une entente avec un GRT. L'adhésion étant volontaire (outre une obligation durant les cinq premières années pour les projets créés par AccèsLogis), toutes les organisations de la base ne sont pas nécessairement membres d'une structure fédérative.

Ces innovations en témoignent d'une troisième qui fait foi de l'articulation de nouveaux **rapports entre l'État, le marché et la société civile**. Les coopératives est les OSBL d'habitation dépendent en partie de ressources publiques et de volontariat, mais plus de la moitié de leurs revenus proviennent des loyers des résidants. Cette diversité assure une relative autonomie vis-à-vis des pouvoirs publics et favorise le sens des responsabilités du propriétaire collectif. Bien qu'elles furent variables dans le temps et selon les paliers gouvernementaux, les alliances entre les militants de l'habitation communautaire et les pouvoirs publics ont donné lieu à des programmes d'aide publique conçus en tout ou en partie par les acteurs du mouvement de l'habitation communautaire. Cette construction conjointe des politiques publiques est favorisée par la reconnaissance par les pouvoirs publics des acteurs professionnels du secteur, notamment les GRT et les professionnels des fédérations, ce qui favorise la connexion des politiques aux réalités vécues « sur le terrain ». La présence d'instances fédératives permet également aux destinataires directs de ces politiques, les résidants des habitations communautaires, de se prononcer par la voie de la démocratie représentative. Tous les acteurs du champ sont représentés au Fonds québécois d'habitation communautaire, un organisme à but non lucratif dont la mission est de coordonner les efforts de tous les protagonistes du secteur de l'habitation. Son conseil d'administration est composé de représentants des milieux municipal, financier, communautaire et gouvernemental. Cette instance constitue la base concrète d'une gouvernance en réseau ou en « partenariat » du secteur.

Les divers chapitres de ce livre rapportent différents aspects des innovations portées par le mouvement du logement communautaire au Québec depuis une trentaine d'années. Ces innovations sociales, comme toute autre, comportent également des limites, éventuellement des failles qui peuvent affecter leur potentiel d'efficacité à moyen ou à long terme. Comme toute autre forme d'organisations, celles de l'économie sociale vivent des tensions entre des comportements innovateurs et conservateurs. Il y a aussi différentes phases du « cycle de vie » des innovations sociales (nouveauté, diffusion, maturité, déclin), à l'instar des innovations technologiques. Le passage de l'expérimentation à la diffusion des innovations sociales comporte lui aussi des risques. Sans mener une analyse approfondie, puisque ce n'était pas l'angle retenu pour cet ouvrage, il est important de noter quelques défis qui se présentent aujourd'hui. Entre autres, les valeurs qui se sont croisées à l'origine de cette génération d'habitation communautaire demeurent influentes dans le contexte actuel. Cependant, la croyance dans les forces du marché comme mécanisme « naturel »

de régulation, la propension centralisatrice des institutions
– qu'elles soient publiques ou d'économie sociale – et les aspirations portées par les mouvements sociaux agissent comme autant
de tensions sur le secteur de l'habitation communautaire. Divers
enjeux se posent quant à la prise en charge des immeubles d'habitation existants, aux modes de développement et de financement
du secteur, à la concertation des acteurs du réseau entre eux et
avec ceux des milieux locaux et des instances publiques. Nous en
résumons plusieurs dans ce qui suit.

La prise en charge des ensembles immobiliers par des résidants et des personnes du milieu se heurte au vieillissement et à
la dégradation du parc d'habitation, au vieillissement des résidants, aux difficultés de santé et d'insertion sociale d'une certaine
partie d'entre eux, au besoin de renouvellement des compétences
en gestion immobilière et en administration, et au besoin de participation des locataires à la gestion de leur logement. L'autonomie
des organisations, une fois la dette hypothécaire remboursée et
la convention avec l'État échue, ouvre une brèche potentielle à la
privatisation des unités de logements.

Pour soutenir également le marché locatif, une partie des subventions d'aide à la personne est offerte aux propriétaires privés,
amputant l'enveloppe qui pourrait être réservée au logement communautaire (coopératives et OSBL) et public (HLM). Quant aux
expérimentations de financement alternatif, elles demeurent marginales, reposant essentiellement sur les milieux locaux, la phi-
lanthropie (individus et entreprises) ou le secteur communautaire
lui-même (fédérations, membres des coopératives, éventuellement
des fiducies).

Les regroupements fédératifs de coopératives et d'OSBL, les
groupes de ressources techniques (GRT) et les offices d'habitation
(OH) agissent sur des terrains complémentaires (services, achats
groupés, développement) mais dont les frontières peuvent devenir
fragiles, amenant potentiellement des tensions au sein du réseau.
Le Fonds québécois d'habitation communautaire, qui a, pendant
les premières années de son existence, permis d'assurer une certaine coordination des acteurs entre eux – y compris avec les
pouvoirs publics et les élus municipaux –, doit finaliser les étapes

l'amenant à préciser les orientations qu'il privilégiera au moment où il disposera de sommes à réinvestir dans le développement. Ce qui conduira à revoir l'équilibre en place. Enfin, de nouvelles valeurs émergent dans la société liées à l'environnement, au développement durable, à la solidarité Nord-Sud, alors que la culture de la participation, qui a constitué une des pierres d'assise du mouvement de l'habitation communautaire, semble décliner, comme dans la plupart des pays occidentaux développés.

Cet ouvrage demeure incomplet au vu de tout ce que représente le secteur du logement communautaire au Québec. D'une part, il occulte en grande partie la réalité vécue au sein des organisations de base qui le constituent. Un regard posé de plus près aurait permis de voir les multiples gestes de solidarité qui sont posés au quotidien entre les occupants, qui sont des familles, des personnes vivant seules, des personnes âgées, etc. On y aurait découvert des modalités originales d'organisation de la participation des résidants à la prise en charge de leur propre milieu de vie. De nombreuses trouvailles auraient pu être décrites quant à la manière dont les bénévoles s'occupent de la gouvernance de ces propriétés collectives et de leurs regroupements. En contrepartie, l'ouvrage ne fait pas non plus mention des difficultés qui, elles aussi, font partie de la réalité quotidienne de ces groupes. Comme dans toute association, des tensions surgissent, des inégalités persistent, des faiblesses se révèlent à différents moments de la vie organisationnelle et à différentes phases de l'évolution des groupes. D'autre part, les sources d'informations existantes n'ont pas permis de documenter aussi bien des OSBL d'habitation que celle des coopératives d'habitation. Des recherches futures devraient s'intéresser à ce segment moins connu de l'habitation communautaire au Québec.

En mettant l'accent sur les innovations organisationnelles et institutionnelles qui caractérisent le secteur de l'habitation communautaire québécois, nous sommes conscients d'avoir largement laissé dans l'ombre les inévitables difficultés, les conflits, éventuellement les ratés de leur histoire récente. Mais l'histoire de ce mouvement n'est pas terminée, loin de là. Les innovations trouvent leurs racines dans les leçons du passé mais elles naissent également des limites rencontrées par les innovateurs dans leur propre parcours. Les tensions sont aussi « créatrices » et il y a fort à parier que les acteurs aujourd'hui, travaillant en partenariat, trouveront les solutions utiles et pertinentes de demain.

Lexique des acronymes utilisés

A

AACR	Aide assujettie au contrôle du revenu
ACHRU	Association canadienne d'habitation et de rénovation urbaine
ACL	Programme AccèsLogis ou AccèsLogis Québec
AGRTQ	Association des groupes de ressources techniques du Québec
AHA	Accession à l'habitation abordable
ANOHPA	Association nationale des OSBL d'habitation pour personnes âgées
AQDR	Association québécoise de défense des droits des personnes retraitées et préretraitées
AQIS	Association du Québec pour l'intégration sociale
ARUC-ÉS	Alliance de recherche universités-communautés en économie sociale

C

CA	Conseil d'administration
CAP-Habitat	Chantier d'activités partenariales – Habitatcommunautaire
CAT	Commission de l'aménagement du territoire
CCQ	Conseil de la coopération du Québec
CESD	Caisse d'économie solidaire Desjardins
CH	Coopérative d'habitation
CHCE	Coopérative d'habitation des Cantons-de-l'Est
CHSLD	Centre d'hébergement et de soins de longue durée
CLSC	Centre local de services communautaires
CMM	Communauté métropolitaine de Montréal
COOP	Coopérative
CPE	Centre de la petite enfance
CQCH	Confédération québécoise des coopératives d'habitation
CQCM	Conseil québécois de la coopération et de la mutualité

CRDI	Centre de réadaptation en déficience intellectuelle
CSMO-ÉSAC	Comité sectoriel de main-d'œuvre – Économie sociale et action communautaire
CSSS	Centre de santé et de services sociaux

F

FADOQ	Fédération de l'âge d'or du Québec
FCH	Fédération des coopératives d'habitation
FCHE	Fédération Coop-Habitat Estrie
FCHQ	Fédération Coop-Habitat du Québec
FCM	Fédération canadienne des municipalités
FDHCM	Fonds dédié à l'habitation communautaire de Montréal
FÉCHAM	Fédération des coopératives d'habitation montérégiennes
FÉCHAQC	Fédération des coopératives d'habitation de Québec, Chaudière-Appalaches, initialement appelée la Fédération régionale des coopératives d'habitation de Québec, Chaudière-Appalaches
FÉCHAS	Fédération des coopératives d'habitation du Royaume du Saguenay–Lac-Saint-Jean
FÉCHIMM	Fédération des coopératives d'habitation intermunicipale du Montréal métropolitain, initialement appelée Fédération des coopératives d'habitation de Montréal
FÉCHMACQ	Fédération des coopératives d'habitation de la Mauricie et du Centre-du-Québec
FÉCHIM	Fédération des coopératives d'habitation de Montréal
FÉCHO	Fédération des coopératives d'habitation de l'Outaouais
FHCC	Fédération de l'habitation coopérative du Canada
FIM	Fonds d'investissement de Montréal
FIR	Fonds d'investissement résidentiel
FISHA	Fonds d'investissement social en habitation
FLHLMQ	Fédération des locataires d'habitations à loyer modique du Québec
FLOH	Fédération lavalloise des OSBL d'habitation
FOHM	Fédération des OSBL d'habitation de Montréal
FOHRJS	Fédération des OSBL d'habitation Roussillon, Jardins du Québec, Suroît
FQHC	Fonds québécois d'habitation communautaire
FQM	Fédération québécoise des municipalités
FQRSC	Fonds québécois de la recherche sur la société et la culture
FRAPRU	Front d'action populaire en réaménagement urbain
FRÉCHAQC	Fédération régionale des coopératives d'habitation de Québec, Chaudière-Appalaches

FROHMCQ	Fédération régionale des organismes sans but lucratif d'habitation de la Mauricie / Centre-du-Québec
FROHQC	Fédération régionale des OSBL en habitation de Québec, Chaudière-Appalaches
FROH-SLSJCCCN	Fédération régionale des OSBL d'habitation du Saguenay–Lac-Saint-Jean, Chibougamau-Chapais et Côte-Nord
FSFCH	Fonds de stabilisation fédéral des coopératives d'habitation

G

GRT	Groupe de ressources techniques

H

HCNDG	Habitations communautaires Notre-Dame-de-Grâce
HLM	Habitations à loyer modique

I

IPAC	Initiative de partenariats en action communautaire
IPC	Indice des prix à la consommation
IPLI	Initiative de partenariats de lutte contre l'itinérance

L

LAQ	Programme Logement abordable Québec (comporte 2 volets: volet privé et volet social et communautaire)
LAREPPS	Laboratoire de recherche sur les pratiques et les politiques sociales
LNH	Loi nationale sur l'habitation
LRQ	Lois refondues du Québec

M

MDEIE	Ministère du Développement économique, de l'Innovation et de l'Exportation
MSSS	Ministère de la Santé et des Services sociaux

N

NIMBY	*Not in my backyard*, acronyme qui désigne le syndrome « pas dans ma cour »

O

OBNL	Organisme à but non lucratif. Parfois utilisé pour OSBL.
OBNL-H	Organisme à but non lucratif en habitation
OH	Office d'habitation, auparavant désigné sous le vocable Office municipal d'habitation
OMH	Office municipal d'habitation
ONU	Organisation des Nations Unies

OPHQ	Office des personnes handicapées du Québec
OSBL	Organisme sans but lucratif

P

PAIP	Plan d'accélération des investissements publics
PALL	Programme d'acquisition de logements locatifs
PAMAC	Programme d'acquisition des maisons de chambres
PAOC	Programme d'aide aux organismes communautaires
PAPA	Personnes âgées en perte légère d'autonomie
PARCO	Programme d'aide à la rénovation des coopératives et des OSBL
PAREL	Programme d'aide à la remise en état des logements
PECH	Programme d'encadrement clinique et hébergement
PFCH	Programme fédéral des coopératives d'habitation
PHI	Prêt hypothécaire indexé
PIQ	Programme intégré québécois
PRIL	Programme de rénovation d'immeubles locatifs
PSBL-P	Programme de logement sans but lucratif privé
PSBL-P PAPA	Programme de logement sans but lucratif privé – personnes âgées en perte d'autonomie
PSL	Programme de supplément au loyer
PSOC	Programme de soutien aux organismes communautaires

R

RI	Ressource intermédiaire
RIC	Régime d'investissement coopératif
ROHSCO	Regroupement des OSBL d'habitation et d'hébergement avec support communautaire en Outaouais
RQOH	Réseau québécois des OSBL d'habitation
RTF	Ressource de type familial

S

SCHL	Société canadienne d'hypothèques et de logement, initialement la Société centrale d'hypothèques et de logement
SDC-H	Société de développement coopératif en habitation
SHAD	Société d'habitation Alphonse-Desjardins
SHDM	Société d'habitation et de développement de Montréal
SHQ	Société d'habitation du Québec
SPLI	Stratégie des partenariats de lutte contre l'itinérance

U

UMQ	Union des municipalités du Québec

Sites des organismes

Alliance de recherche universités-communautés en économie sociale (ARUC-ÉS)
www.aruc-es.uqam.ca

Association des groupes de ressources techniques du Québec (AGRTQ)
www.agrtq.qc.ca

Chaire de recherche du Canada en économie sociale
www.chaire.ecosoc.uqam.ca

Chantier de l'économie sociale
www.chantier.qc.ca

Confédération québécoise des coopératives d'habitation
www.cooperativehabitation.coop

Conseil québécois de la coopération et de la mutualité
www.coopquebec.coop

Économie sociale Québec
www.economiesocialequebec.ca

Fédération de l'habitation coopérative du Canada
www.fhcc.coop/fra

Fédération des OSBL d'habitation de Montréal (FOHM)
www.fohm.org

Fonds québécois d'habitation communautaire (FQHC)
www.fqhc.qc.ca

Réseau québécois des OSBL d'habitation (RQOH)
www.rqoh.com

Société canadienne d'hypothèque et de logement (SCHL)
www.cmhc-schl.gc.ca

Société d'habitation du Québec (SHQ)
www.habitation.gouv.qc.ca

Notes sur les auteurs

Marie J. Bouchard est professeure titulaire au département Organisation et ressources humaines de l'École des sciences de la gestion de l'UQAM. Elle est coresponsable du CAP-Habitat de l'ARUC en économie sociale. Elle est titulaire de la Chaire de recherche du Canada en économie sociale.

Ysabelle Cuierrier est candidate à la maîtrise en Études urbaines et touristiques de l'École des sciences de la gestion de l'UQAM et assistante de recherche au CAP-Habitat de l'ARUC en économie sociale.

Marie-Noëlle Ducharme est agente de développement au Réseau québécois des OSBL d'habitation et professionnelle de recherche au LAREPPS et à l'ARUC en économie sociale.

Lucie Dumais est professeure au département École de travail social de la Faculté des sciences humaines de l'UQAM et codirectrice du LAREPPS.

Winnie Frohn est professeure au département Études urbaines et touristiques de l'École des sciences de la gestion de l'UQAM. Elle est directrice du département Études urbaines et touristiques de l'ESG-UQAM et membre du CAP-Habitat de l'ARUC en économie sociale.

Allan Gaudreault est consultant en habitation communautaire.

Marcellin Hudon est directeur de l'Association des groupes de ressources techniques du Québec et coresponsable du CAP-Habitat de l'ARUC en économie sociale.

Richard Morin est professeur titulaire au département Études urbaines et touristiques de l'École des sciences de la gestion de l'UQAM et membre du CAP-Habitat de l'ARUC en économie sociale.

Andrée Richard est directrice du Fonds québécois d'habitation communautaire et membre du CAP-Habitat de l'ARUC en économie sociale.

François Vermette est directeur du Réseau québécois des OSBL d'habitation et membre du CAP-Habitat de l'ARUC en économie sociale.

Table des matières

Introduction   7

PARTIE 1
Le secteur de l'habitation communautaire

CHAPITRE 1
L'histoire d'une innovation sociale   15

CHAPITRE 2
Portrait de l'habitation communautaire au Québec   55

PARTIE 2
Innovations sociales et mouvements sociaux

CHAPITRE 3
Le financement de l'habitation communautaire   115

CHAPITRE 4
Apport social et économique du logement communautaire   155

CHAPITRE 5
Habitation communautaire et personnes vulnérables   185

Conclusion   217

Lexique des acronymes utilisés   225

Sites des organismes   229

Notes sur les auteurs   231

Marquis imprimeur inc.

Québec, Canada
2008